shopping insolite
à NYC

sibella court

200 adresses inédites et secrètes
boutiques * restaurants * petits hôtels

MARABOUT

nmaire

03

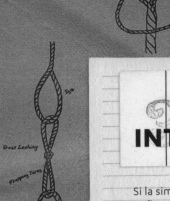

INTRODUCTION

Si la simple perspective d'un prochain voyage à New York ne vous enflamme pas déjà complètement, téléchargez *Empire State of Mind* d'Alicia Keys et Jay-Z. Appuyez sur *PLAY*. Et montez le son ! Cette ville est la plus riche, la plus stimulante et la plus électrisante au monde.

Depuis que je suis revenue vivre à Sydney pour y ouvrir ma boutique, The Society Inc., on me demande très souvent mes bonnes adresses et mes lieux préférés de New York. Chaque fois, il m'est difficile de n'en sélectionner que quelques-uns. Cette ville est tellement fabuleuse et foisonnante !

J'ai donc décidé de partager mes secrets les plus précieux, mes trouvailles favorites, bref le meilleur de ce que j'ai pu identifier au cours des quinze ans que j'ai passés à parcourir cette ville prodigieuse.

Ce guide est ma version revue et corrigée de New York. Ma sélection a été exigeante, j'ai testé et validé chacune des adresses que je cite. Pour la plupart, je les ai fréquentées à titre professionnel pendant de longues années. J'en connais les responsables, les designers, les vendeurs des boutiques, les chargés de relations publiques... N'hésitez pas à mentionner mon nom !

Ce livre ne fonctionne pas comme un guide de tourisme traditionnel. Il ne présente pas les grands classiques ni les monuments, et ne donne pas de liste d'hôtels. Il rassemble essentiellement les meilleures adresses de la styliste déco que je suis. Il se concentre sur le monde de l'esthétisme, de la création et du design. Bien sûr, il reflète mes goûts personnels. Vous verrez par exemple que j'ai un faible pour tout ce qui a trait à la composition de natures mortes. J'espère que ce livre vous surprendra et que vous y trouverez des choses que vous n'auriez pas imaginé apprécier un jour.

Chocol
coa Ni

% cacao

e sugar, cocoa

cally with orga
farms in Mada
batches. Hand
granite stone a

rth: 5/25,

rothers Chocolat
North 3rd Street
klyn, NY 11211
therschocolate.co

Vegan product.
used in our facto

can Cr
olate

Je déteste avoir à revenir sur mes pas. J'ai donc pris l'habitude, quand je travaillais sur des missions de stylisme, d'organiser mes achats selon leur emplacement en ville. Dans ce guide, les adresses se succèdent pour former des itinéraires thématiques. Vous pouvez suivre ces itinéraires en prenant votre temps, faire des pauses et continuer plus tard, ou si vous aimez avancer vite comme moi, les faire en une journée.

Les thématiques choisies sont au nombre de neuf, construites sur des définitions assez larges. Certaines vous séduiront d'emblée, d'autres vous seront peut-être plus étrangères. Les voici, à vous de faire vos choix.

(1) **Marchands de fleurs & d'odeurs**

(2) **Cabinet de curiosités**

(3) **Joaillerie & quincaillerie**

(4) **Mercerie & fait-main**

(5) **Drapiers & tapissiers**

(6) **Art & décoration**

(7) **Papeterie & fournitures d'art**

(8) **Cuisine & arts de la table**

(9) **Mobilier & design d'intérieur**

La nourriture est pour moi un véritable carburant. Je trouve d'ailleurs qu'elle fait intégralement partie de l'expérience new-yorkaise. J'ai donc inclus des étapes culinaires dans mes itinéraires, le shopping pouvant se révéler un sport épuisant ! Ma sélection de restaurants et de cafés se fonde autant sur l'assiette que sur la décoration, sur l'ambiance ou la clientèle que l'on y croise.

Je commence habituellement mes journées en grignotant quelque chose avec mon café, ce que vous retrouverez au début de la majorité de mes itinéraires. Jusqu'à récemment, le café que l'on servait aux New-Yorkais était à peine digne de ce nom. La ville s'est heureusement remise à niveau sur le sujet, et on y trouve désormais un peu partout de talentueux *baristas*.

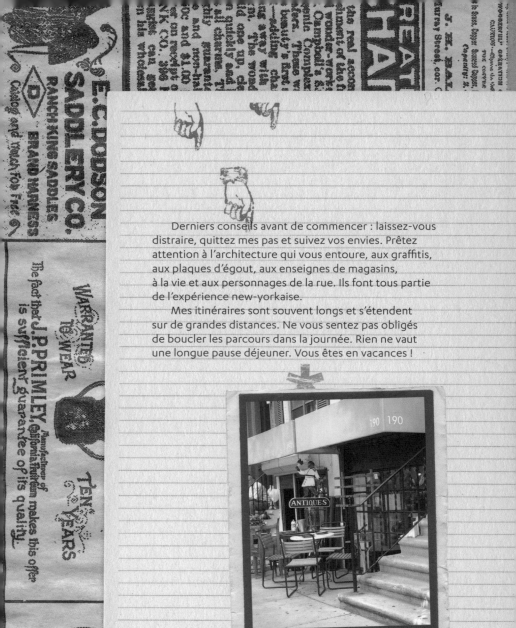

Derniers conseils avant de commencer : laissez-vous distraire, quittez mes pas et suivez vos envies. Prêtez attention à l'architecture qui vous entoure, aux graffitis, aux plaques d'égout, aux enseignes de magasins, à la vie et aux personnages de la rue. Ils font tous partie de l'expérience new-yorkaise.

Mes itinéraires sont souvent longs et s'étendent sur de grandes distances. Ne vous sentez pas obligés de boucler les parcours dans la journée. Rien ne vaut une longue pause déjeuner. Vous êtes en vacances !

POUR BIEN DÉMARRER

REPÉREZ LES TOILETTES

Un des inconvénients de New York est que l'on peut passer beaucoup de temps à chercher des toilettes. Mon conseil : foncez quand vous en avez l'opportunité !

Il n'y a pas de toilettes publiques et les restaurants et bars apprécient moyennement que des personnes qui ne sont pas des clients utilisent les leurs...

SOYEZ PRÉPARÉS À TOUT

New York exige que l'on emporte le matin tout ce dont on peut avoir besoin durant la journée et jusqu'au soir, car il est rare que l'on parvienne à revenir chez soi entre-temps.

Partez le matin en imaginant que tout est possible. Vous êtes à New York pour PRO-FI-TER.

Une règle de base, suivie scrupuleusement par toute New-Yorkaise qui se respecte, est d'avoir avec soi deux paires de chaussures. Une paire plate pour des raisons évidentes de confort et, une paire de talons si une soirée se présente, vous savez, ceux qui vous donnent une allure folle...

Plutôt que de prendre le métro ou un taxi, les New-Yorkais marchent énormément à pied. Ils ont raison car la marche reste globalement le moyen le plus rapide pour se déplacer, même si on a plusieurs *blocks* à remonter.

Pour anticiper les désagréments potentiels de la marche, ayez toujours dans votre sac des pansements d'avance.

Les prévisions météo pour New York sont très fiables. Si elles annoncent de la pluie (qui s'avère être le plus souvent une averse intense mais brève), pensez à glisser un parapluie dans votre sac. Et si vous l'avez oublié, vous vous réjouirez de voir qu'à la moindre ondée de petits vendeurs de parapluies se mettent à éclore à tous les coins de rue.

À VÉLO

J'adore me déplacer à vélo dans New York (sauf bien sûr dans le froid extrême des tempêtes de neige).

Les pistes cyclables sont impeccables et il s'en crée régulièrement de nouvelles.

Les loueurs de vélo ne proposent bizarrement pas d'antivols, alors que le vol est extrêmement courant. Mon secret : un antivol en U de la marque Kryptonite, à moins de 50 dollars, qui sera vite amorti en comparaison du prix des courses en taxis que vous économiserez.

Vous pouvez également acheter un vélo à un prix très abordable sur les marchés aux puces ou dans les supermarchés K-Mart, pour 100 dollars environ.

Pour moi, c'est un moyen fantastique de découvrir la ville : rapide, sûr, pas cher, et source de bonne humeur !

COMMUNICATIONS

Achetez une carte avec une puce de téléphone prépayée. L'opérateur T-Mobile offre notamment un forfait à 50 dollars valable un mois, avec un téléphone inclus ! Vous en trouverez dans n'importe quelle boutique de téléphone, sur toutes les grandes artères.

PLANS

Achetez aussi un plan de la ville qui se déploie en pop-up, et un plan du métro format carte de crédit. Vous en trouverez dans toutes les librairies-papeteries comme Staples, Barnes & Noble ou Kate's Paperie.

EXPÉDITION DE COLIS

Les magasins d'un certain standing vous proposent en général de livrer vos achats à votre hôtel. Le service est parfois payant mais les tarifs sont très raisonnables (surtout face à la perspective de devoir porter vos paquets pour le reste de la journée).

Vous pouvez également demander au concierge de votre hôtel de prévoir un coursier pour récupérer vos achats. Croyez-moi, c'est un service qui vaut vraiment le coup, à ne pas négliger.

Pour l'international, les classiques UPS, Fedex ou USPS ont de nombreux bureaux à travers la ville où vous pourrez effectuer vos envois.

RENSEIGNEMENTS

Google propose un service de renseignements par SMS. Envoyez au 46645 le nom de la boutique, du restaurant ou du musée dont vous cherchez les coordonnées, suivi de la ville ou du code postal, par exemple « Balthazar NYC ». Le service fonctionne même pour les horaires des cinémas. Tapez alors le titre du film et la ville ou le code postal, par exemple « *Batman* NYC ».

TAXIS ET VOITURES

Il n'est pas possible d'appeler ou de réserver un taxi à New York. On s'en passe très bien car il y en a partout et tout le temps, sauf entre 15 h et 16 h, l'heure de passation des voitures entre chauffeurs, où cela peut devenir plus délicat.

Il existe en revanche des services de location de voitures avec chauffeur qui sont à peu près au même tarif qu'un taxi. À Manhattan, appelez Delancey Car Service, (212) 228-3301 ou Carmel Car & Limousine Service, (212) 666-3646 . Vous pouvez réserver un certain type de véhicule : monospace, limousine, berline (demandez alors une *sedan car*).

À Brooklyn, contactez Northside Car Service, (718) 387-2222.

MÉTRO

Achetez une *MetroCard*, disponible dans toutes les stations de métro. C'est une carte magnétique sur laquelle vous pouvez déposer de l'argent débité à chaque trajet. Elle permet de payer moins cher que si vous preniez vos billets à l'unité. Mettez-y 20 dollars, vous êtes certains de les utiliser.

Pensez à identifier la sortie de métro par laquelle vous allez sortir. Par exemple, si c'est celle de l'angle nord-est de telle rue et de telle avenue, vous saurez tout de suite où vous diriger une fois dehors. Les New-Yorkais sont tout à fait ouverts aux demandes d'informations. N'hésitez pas à les solliciter pour trouver votre chemin, surtout en sortant du métro. Si vous n'êtes pas tout à fait sûrs de la direction à suivre, demandez au moins où se situe le nord pour partir dans le bon sens.

SORTIES ET BONS PLANS

Achetez les magazines *Time Out*, *The New Yorker* et *New York*. Vous y trouverez chaque semaine des informations sur les expositions des musées et galeries d'art, sur les films en salle, ainsi que sur les *sample sales*, des soldes très intéressants. C'est une excellente lecture pour les trajets en métro. J'insiste sur un point en particulier : les *sample sales* sont un vrai bon plan de New York. La plupart des marques en font, les prix sont incroyables. Allez-y assez tôt pour avoir du choix, vous en sortirez le sourire aux lèvres, je vous le promets.

Daily Candy est un site à consulter absolument pour toutes sortes d'informations sur la ville. Parcourez en particulier la section *Weekend Guides*. Abonnez-vous à leur newsletter un peu avant de partir, vous recevrez plein de bonnes idées...

QUAND PARTIR ?

Les saisons sont très marquées à New York, choisissez celle qui vous convient le mieux. Je les aime toutes sauf le plein été (juillet-août), trop chaud et trop humide !

Si vous prévoyez de faire du shopping tout en respectant les limitations de bagages des compagnies aériennes, souvenez-vous que les vêtements d'hiver prennent beaucoup plus de place dans une valise !

*

Safe travels &
have a fabulous trip
Enjoy, Snadla X

13

PAULA RUBENSTEIN

21 Bond St.
NYC 10012
212.966.8954

Textiles vintage, meubles
et accessoires
Pages 78, 121

JOHN DERIAN COMPANY INC

6 E. 2nd St.
NYC 10003
212.677.3917
www.johnderian.com

Textiles, objets, accessoires
et meubles vintage
Page 81

mes adresses

JOHN ROBSHAW TEXTILES

(sur rendez-vous)
245 W. 29th St. #1501
NYC 10001
212.594.6006
www.johnrobshaw.com

Meubles et textiles
Page 136

THE END OF HISTORY

548 ½ Hudson St.
NYC 10014
212.647.7598
www.theendofhistory.blogspot.com

Verre, spécialiste des années 1950
et 1960
Page 247

LE LABO
233 Elizabeth St.
NYC 10012
212.219.2230
www.lelabofragrances.com

Parfums
Page 40

OCHRE
462 Broome St.
NYC 10013
212.414.4332
www.ochre.net

Meubles et accessoires
Pages 111, 252

ANTHROPOLOGIE
50 Rockefeller Center
NYC 10020
212.246.0386
www.anthropologie.com

Vêtements, cosmétiques, mobilier,
linge et accessoires pour la maison
Pages 94, 159, 216

BERGDORF GOODMAN
754 5th Ave
NYC 10019
212.753.7300
www.bergdorfgoodman.com

Accessoires pour la maison,
arts de la table et vêtements
Page 183

PARTNERS & SPADE

40 Great Jones St.
NYC 10012
646.861.2827
www.partnersandspade.com

Objets éclectiques et art
Page 194

TINSEL TRADING CO

1 W. 37th St.
NYC 10018
212.730.1030
www.tinseltrading.com

Fournitures et idées de mercerie
Page 129

UNION SQUARE GREENMARKET

Union Square – 14th St. and
Broadway (lun., mer., ven., sam.)
NYC 10003

Marché en plein air
Page 31

THE RUG COMPANY

88 Wooster St.
NYC 10012
212.274.0444
www.therugcompany.com

Tapis
Page 171

CROSBY ST HOTEL

79 Crosby St.
NYC 10012
212.226.6400
www.firmdalehotels.com

Hôtel
Page 163

SARA

950 Lexington Ave
NYC 10021
212.772.3243
www.saranyc.com

Céramiques et arts de la table
du Japon
Page 231

OBSCURA

207 Ave A
NYC 10009
212.505.9251
www.obscuraantiques.com

L'improbable et l'inattendu
Page 83

CHELSEA ANTIQUES GARAGE

(sam. et dim. 9-5)
112 W. 25th St.
NYC 10001
212.243.5343

Marché aux puces
Pages 55, 225

mar

d

d

&

chands
e fleurs
odeurs

19

PLAN.01

Si possible, faites cet itinéraire un mercredi
ou un vendredi et par temps ensoleillé, car
beaucoup d'adresses sont en extérieur.

Premier arrêt, le marché aux fleurs. C'est l'un
de mes endroits préférés de New York tôt le
matin. Il ouvre à 4 h, parfait si vous êtes encore
en décalage horaire. Ce n'est pas un marché
au vrai sens du terme, plutôt un ensemble
de magasins le long de la 28e Rue, entre la
6e et la 7e Avenue.

Le métro ligne 1 ou 6 vous dépose à l'arrêt
28 St. Si vous êtes très matinal, préférez le taxi
et faites-vous déposer à l'angle de la 28e et
de la 7e. Il est préférable d'arriver tôt sur le
marché, entre 6 h et 7 h 30 : vous serez alors
au cœur de l'effervescence du lieu. À 11 h, tout
est terminé.

PLAN.02 ☞

soho

PRINCE ST

WEST HOUSTON ST

GREENE ST

MERCER ST

BROADWAY

CROSBY ST

LAFAYETTE ST

14 12

13

15

11

18 17

16

SPRING ST

PRINCE ST

MULBERRY ST

MOTT ST

ELIZABETH ST

BLEECKER ST

BOND ST

LAFAYETTE ST

BOWERY

E 1ST ST

E 3RD ST

E 4TH ST

SQUARE PARK

CHRISTOPHER

nolita

WEST ST

WASHINGTON ST

HORATIO ST

GANSEVOORT ST

29

10TH AVE

W 13TH ST

W 14TH ST

9TH AVE

8TH AVE

chelsea

8TH AVE

W 22ND ST

W 23RD ST

W 28TH ST

WAVERLY PL

GREENWICH AVE

7TH AVE

7TH AVE

W 20TH ST

W 21ST ST

8°

W 25TH ST

W 26TH ST

W 27TH ST

W 29TH ST

1
2
3
4
5
6
7

28

27

26

6TH AVE

6TH AVE

greenwich
village

W 8TH ST

W 9TH ST

5TH AVE

E 14TH ST

5TH AVE

MADISON
SQUARE
PARK

5TH AVE

MADISON AVE

UNIVERSITY PL

BROADWAY

E 20TH ST

UNION
SQUARE

10

9

PARK AVE SOUTH

E 15TH ST

E 16TH ST

E 17TH ST

E 18TH ST

E 19TH ST

GRAMERCY
PARK

21

gramercy

central
park

JACQUELINE KENNEDY
ONASSIS
RESERVOIR

5TH AVE

24

E 82ND ST

E 83RD ST

E 81ST ST

E 80TH ST

MADISON AVE

PARK AVE

upper
east side

Contents·MERCHANDISE

OSTMASTER· THIS PARCEL
AY BE OPENED FOR POSTAL
INSPECTION IF NECESSARY

—FROM—
Sibella Court

RETURN POSTAGE
GUARANTEED

LE MEILLEUR CAFÉ
DE LA VILLE

Enfin New York a reconnu la valeur d'un
bon café et d'un vrai *barista*. Pour partir
du bon pied, je démarre ma journée
à l'une des adresses suivantes :

* Joe
* Gimme! Coffee
* Stumptown
* The Mudtruck

east river

Commencez à l'angle de la 7ᵉ Avenue et de la 28ᵉ Rue par **Planter Resource** (1), un magasin spécialisé dans les pots, du plus minuscule au plus gigantesque, dans toutes les matières imaginables : céramique, plastique, *terrazzo*, verre, terre cuite... Il propose également un large choix de jolis vases à des prix intéressants. Achetez par lots pour avoir des réductions.

Comme le suggère son nom, **Center of Floral Design** (2) est spécialisé dans la décoration intérieure d'appartements mais aussi de plateaux de tournages pour la télévision ou le cinéma. Jetez un œil à leur choix incroyable et piochez de nombreuses idées pour votre décoration !

Le chat de **Caribbean Cuts** (3) s'appelle Ginger, et il adore qu'on s'occupe de lui. Vous trouverez là non seulement toutes les feuilles et fleurs tropicales possibles et imaginables, mais également une très belle sélection de végétaux aux formes graphiques : noix de coco germées, mini-ananas sur leur tige, virevoltants vivants, et plein d'autres jolies choses dont j'ignore les noms. J'ai acheté des tonnes de plantes ici pour mes shootings photo.

Chez **G. Page** (4), outre la large sélection de fleurs importées, vous verrez des plantes de saison cultivées dans la région de New York que vous ne trouverez pas ailleurs. J'adore par exemple les pousses de fougères, ici appelées *fiddlehead ferns* (prenez-en une brassée pour décorer votre chambre d'hôtel !).

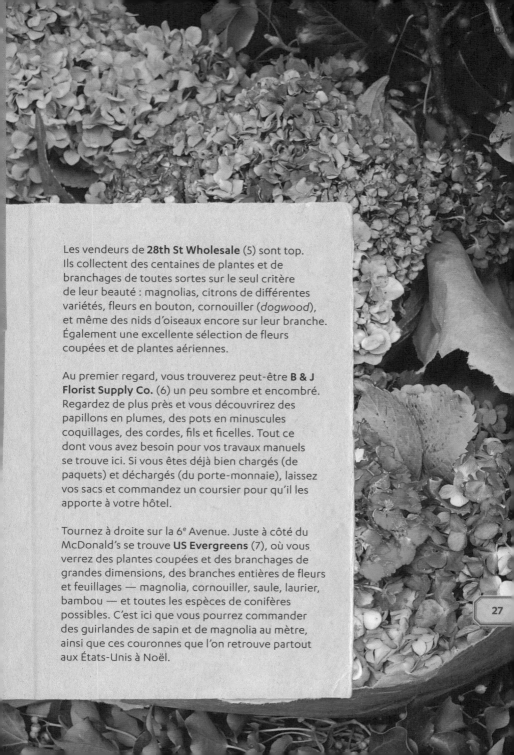

Les vendeurs de **28th St Wholesale** (5) sont top. Ils collectent des centaines de plantes et de branchages de toutes sortes sur le seul critère de leur beauté : magnolias, citrons de différentes variétés, fleurs en bouton, cornouiller (*dogwood*), et même des nids d'oiseaux encore sur leur branche. Également une excellente sélection de fleurs coupées et de plantes aériennes.

Au premier regard, vous trouverez peut-être **B & J Florist Supply Co.** (6) un peu sombre et encombré. Regardez de plus près et vous découvrirez des papillons en plumes, des pots en minuscules coquillages, des cordes, fils et ficelles. Tout ce dont vous avez besoin pour vos travaux manuels se trouve ici. Si vous êtes déjà bien chargés (de paquets) et déchargés (du porte-monnaie), laissez vos sacs et commandez un coursier pour qu'il les apporte à votre hôtel.

Tournez à droite sur la 6e Avenue. Juste à côté du McDonald's se trouve **US Evergreens** (7), où vous verrez des plantes coupées et des branchages de grandes dimensions, des branches entières de fleurs et feuillages — magnolia, cornouiller, saule, laurier, bambou — et toutes les espèces de conifères possibles. C'est ici que vous pourrez commander des guirlandes de sapin et de magnolia au mètre, ainsi que ces couronnes que l'on retrouve partout aux États-Unis à Noël.

29

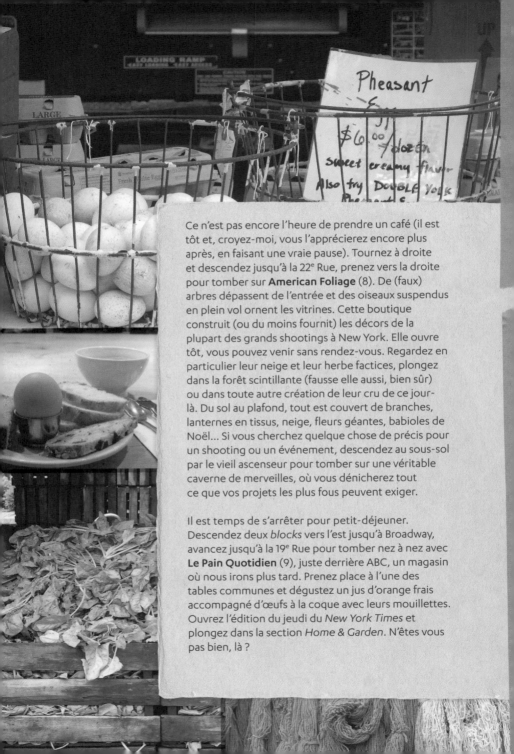

Ce n'est pas encore l'heure de prendre un café (il est tôt et, croyez-moi, vous l'apprécierez encore plus après, en faisant une vraie pause). Tournez à droite et descendez jusqu'à la 22e Rue, prenez vers la droite pour tomber sur **American Foliage** (8). De (faux) arbres dépassent de l'entrée et des oiseaux suspendus en plein vol ornent les vitrines. Cette boutique construit (ou du moins fournit) les décors de la plupart des grands shootings à New York. Elle ouvre tôt, vous pouvez venir sans rendez-vous. Regardez en particulier leur neige et leur herbe factices, plongez dans la forêt scintillante (fausse elle aussi, bien sûr) ou dans toute autre création de leur cru de ce jour-là. Du sol au plafond, tout est couvert de branches, lanternes en tissus, neige, fleurs géantes, babioles de Noël... Si vous cherchez quelque chose de précis pour un shooting ou un événement, descendez au sous-sol par le vieil ascenseur pour tomber sur une véritable caverne de merveilles, où vous dénicherez tout ce que vos projets les plus fous peuvent exiger.

Il est temps de s'arrêter pour petit-déjeuner. Descendez deux *blocks* vers l'est jusqu'à Broadway, avancez jusqu'à la 19e Rue pour tomber nez à nez avec **Le Pain Quotidien** (9), juste derrière ABC, un magasin où nous irons plus tard. Prenez place à l'une des tables communes et dégustez un jus d'orange frais accompagné d'œufs à la coque avec leurs mouillettes. Ouvrez l'édition du jeudi du *New York Times* et plongez dans la section *Home & Garden*. N'êtes vous pas bien, là ?

Reprenez ensuite Broadway pour trouver un peu plus bas l'**Union Square Greenmarket** (10) qui se tient les lundi, mercredi, vendredi et samedi. C'est un marché de produits frais, cultivés dans les États environnants de New York. Chaque saison a un charme fou : l'été, ce sont les framboises qui embaument dans tout le quartier ; l'automne, viennent les belles couleurs vert marbré et orange des courges et des citrouilles, dont on fera des lanternes pour Halloween. Et c'est ici que l'on trouvera au printemps les épis de maïs primeurs, tout croquants. Que du bon !

Mon frère Chris est un fan du lait aromatisé au chocolat de la marque Ronnybrook – conditionné dans des bouteilles en verre –, tellement frais que la crème se reforme sur le dessus. Il arrache l'opercule d'aluminium et le boit directement à la bouteille : retour direct en enfance !!!

Attrapez dans un taxi pour vous faire déposer à l'angle de Bond St. et de Broadway, et faites un saut à **Bond No. 9** (11). Ils créent des parfums nommés d'après les différents quartiers de la ville. Mon préféré est Riverside Drive, même si j'ai un faible pour Chinatown à cause de son mignon flacon décoré de fleurs de cerisier. Demandez des échantillons, enveloppés comme des bonbons dans du papier métallisé multicolore... une idée exquise. Les flacons en eux-mêmes sont de très jolis objets déco.

Feather
Celosia

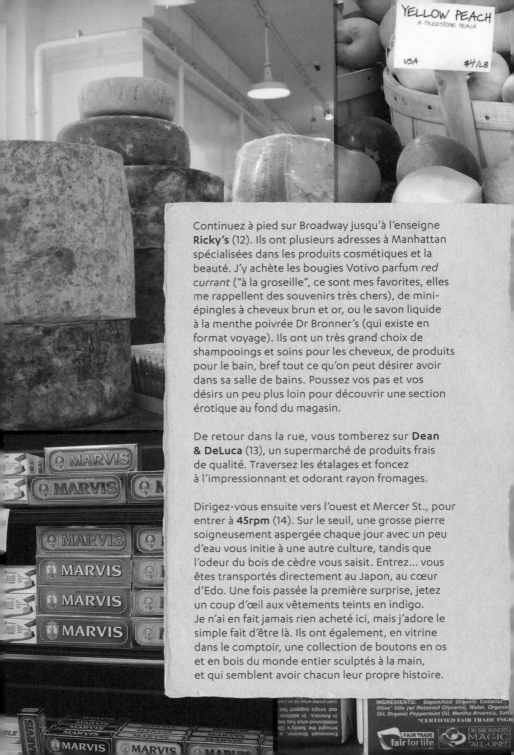

Continuez à pied sur Broadway jusqu'à l'enseigne
Ricky's (12). Ils ont plusieurs adresses à Manhattan
spécialisées dans les produits cosmétiques et la
beauté. J'y achète les bougies Votivo parfum *red
currant* ("à la groseille", ce sont mes favorites, elles
me rappellent des souvenirs très chers), de mini-
épingles à cheveux brun et or, ou le savon liquide
à la menthe poivrée Dr Bronner's (qui existe en
format voyage). Ils ont un très grand choix de
shampooings et soins pour les cheveux, de produits
pour le bain, bref tout ce qu'on peut désirer avoir
dans sa salle de bains. Poussez vos pas et vos
désirs un peu plus loin pour découvrir une section
érotique au fond du magasin.

De retour dans la rue, vous tomberez sur **Dean
& DeLuca** (13), un supermarché de produits frais
de qualité. Traversez les étalages et foncez
à l'impressionnant et odorant rayon fromages.

Dirigez-vous ensuite vers l'ouest et Mercer St., pour
entrer à **45rpm** (14). Sur le seuil, une grosse pierre
soigneusement aspergée chaque jour avec un peu
d'eau vous initie à une autre culture, tandis que
l'odeur du bois de cèdre vous saisit. Entrez... vous
êtes transportés directement au Japon, au cœur
d'Edo. Une fois passée la première surprise, jetez
un coup d'œil aux vêtements teints en indigo.
Je n'ai en fait jamais rien acheté ici, mais j'adore le
simple fait d'être là. Ils ont également, en vitrine
dans le comptoir, une collection de boutons en os
et en bois du monde entier sculptés à la main,
et qui semblent avoir chacun leur propre histoire.

35

Patience, ce n'est pas encore tout à fait l'heure de déjeuner.

Revenez sur vos pas sur Prince St., marchez vers l'est jusqu'à Lafayette St., et tournez sur votre gauche pour trouver **Santa Maria Novella** (15). Ils proposent différentes marques, mais leurs produits fabriqués par des bonnes sœurs à Florence sont un must. Je suis habituellement bonne cliente de toutes les eaux à la rose, mais le principal attrait de la leur réside surtout dans le packaging. Pour un achat peu encombrant, je recommande les papiers d'encens.

Allez vers le sud pour rejoindre Nolita en suivant Prince St. puis Elizabeth St., où se niche l'**Elizabeth Street Gallery** (16). L'extérieur vaut autant le coup d'œil que l'intérieur. Dans le jardin adjacent, Allan a composé un décor associant végétation, sculptures et panneaux de bois. Dedans, tout est exagérément grand, des meubles aux objets déco. Leur goût pour les pièces en métal, le mobilier et les objets rares en font un lieu unique qui recèle de véritables trésors. Même les dalles en pierre qui ornent le sol sont une merveille. Ils ont par exemple entièrement décoré et remeublé une ancienne boulangerie, avec des matériaux de récupération et d'anciens appareils, donnant ainsi l'impression qu'elle a toujours existé.

Remontez maintenant la rue pour atteindre **Le Labo** (17).

Le Labo

Le Labo a repris les murs occupés par Shi, une de mes boutiques préférées à New York jusqu'à sa fermeture au décès de la fondatrice. Le lieu, avec sa double vitrine, a été admirablement transformé et remodelé. Une esthétique industrielle minimaliste et un positionnement très pointu contribuent à lui donner une image chic et branchée. Les parfums du Labo sont préparés et emballés pour vous, et votre nom est inscrit sur le flacon au moment de l'achat. J'achète la rose. Surprise, surprise.

233 Elizabeth St.
NYC 10012
212.219.2230
www.lelabofragrances.com

What is Le Labo?

a playground for your nose

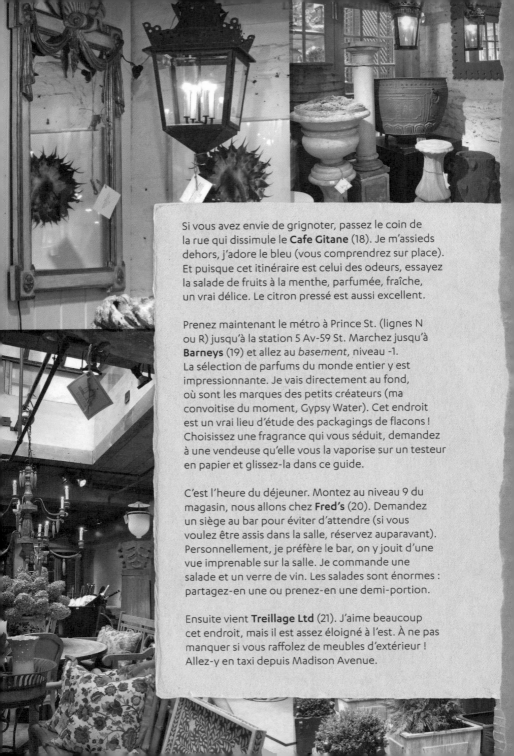

Si vous avez envie de grignoter, passez le coin de la rue qui dissimule le **Cafe Gitane** (18). Je m'assieds dehors, j'adore le bleu (vous comprendrez sur place). Et puisque cet itinéraire est celui des odeurs, essayez la salade de fruits à la menthe, parfumée, fraîche, un vrai délice. Le citron pressé est aussi excellent.

Prenez maintenant le métro à Prince St. (lignes N ou R) jusqu'à la station 5 Av-59 St. Marchez jusqu'à **Barneys** (19) et allez au *basement*, niveau -1. La sélection de parfums du monde entier y est impressionnante. Je vais directement au fond, où sont les marques des petits créateurs (ma convoitise du moment, Gypsy Water). Cet endroit est un vrai lieu d'étude des packagings de flacons ! Choisissez une fragrance qui vous séduit, demandez à une vendeuse qu'elle vous la vaporise sur un testeur en papier et glissez-la dans ce guide.

C'est l'heure du déjeuner. Montez au niveau 9 du magasin, nous allons chez **Fred's** (20). Demandez un siège au bar pour éviter d'attendre (si vous voulez être assis dans la salle, réservez auparavant). Personnellement, je préfère le bar, on y jouit d'une vue imprenable sur la salle. Je commande une salade et un verre de vin. Les salades sont énormes : partagez-en une ou prenez-en une demi-portion.

Ensuite vient **Treillage Ltd** (21). J'aime beaucoup cet endroit, mais il est assez éloigné à l'est. À ne pas manquer si vous raffolez de meubles d'extérieur ! Allez-y en taxi depuis Madison Avenue.

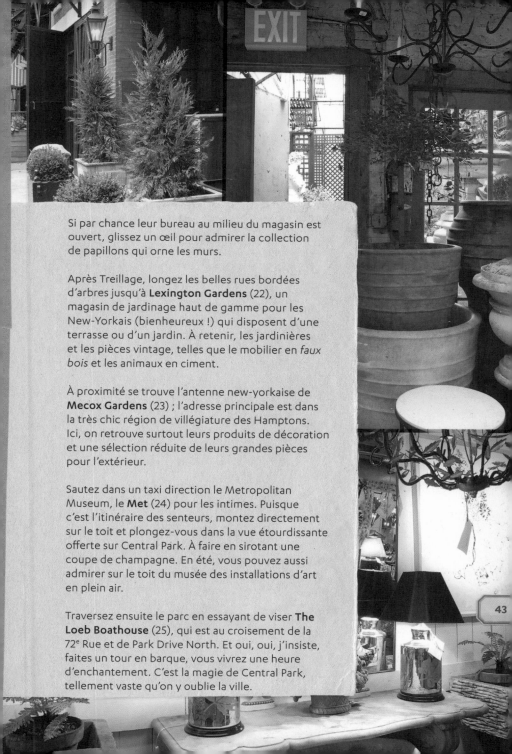

Si par chance leur bureau au milieu du magasin est ouvert, glissez un œil pour admirer la collection de papillons qui orne les murs.

Après Treillage, longez les belles rues bordées d'arbres jusqu'à **Lexington Gardens** (22), un magasin de jardinage haut de gamme pour les New-Yorkais (bienheureux !) qui disposent d'une terrasse ou d'un jardin. À retenir, les jardinières et les pièces vintage, telles que le mobilier en *faux bois* et les animaux en ciment.

À proximité se trouve l'antenne new-yorkaise de **Mecox Gardens** (23) ; l'adresse principale est dans la très chic région de villégiature des Hamptons. Ici, on retrouve surtout leurs produits de décoration et une sélection réduite de leurs grandes pièces pour l'extérieur.

Sautez dans un taxi direction le Metropolitan Museum, le **Met** (24) pour les intimes. Puisque c'est l'itinéraire des senteurs, montez directement sur le toit et plongez-vous dans la vue étourdissante offerte sur Central Park. À faire en sirotant une coupe de champagne. En été, vous pouvez aussi admirer sur le toit du musée des installations d'art en plein air.

Traversez ensuite le parc en essayant de viser **The Loeb Boathouse** (25), qui est au croisement de la 72e Rue et de Park Drive North. Et oui, oui, j'insiste, faites un tour en barque, vous vivrez une heure d'enchantement. C'est la magie de Central Park, tellement vaste qu'on y oublie la ville.

Sortez du parc en direction de l'intersection de la 72e et de Central Park West et prenez le métro vers *downtown* (lignes A, C ou E). Descendez à la station West 4 St. pour aller chez **C. O. Bigelow** (26). En plus d'avoir certaines de mes marques favorites, comme les brosses à cheveux Mason Pearson ou les outils de manucure Tweezerman, ils ont leur propre gamme de produits de beauté présentés dans des flacons au look délicieusement rétro.

Traversez la rue pour déboucher sur le **Jefferson Market Garden** (27). Il a été créé sur le site d'une ancienne prison pour femmes, près d'une cour de justice transformée en bibliothèque. Ce parc possède quelques petits plans d'eau, de grands arbres et une multitude de fleurs de saison. Parfait pour faire une petite pause après ou au milieu d'une journée bien remplie. Un petit don (ou un généreux si vous pouvez) sera apprécié à la sortie.

De là, marchez jusqu'à **Aedes de Venustas** (28), un magasin unique avec une vitrine ravissante au cœur de West Village. La boutique est décorée dans un esprit boudoir aux couleurs sombres. Elle distribue des parfums de petits créateurs et des fragrances rares, ce qui change un peu de ce qu'offrent les multinationales du secteur.

Pour terminer la journée et profiter du coucher du soleil, allez vers la Westside Highway et **The High Line** (29).

The High Line

C'est un jardin suspendu qui débute à
Gansevoort St., et auquel on peut accéder
par différentes entrées tout au long de la
Washington St. et de la 10ᵉ Avenue, jusqu'à
la hauteur de la 30ᵉ Rue. Je trouve que c'est une
excellente façon de terminer cet itinéraire tout
en beauté. Il s'agit d'une ancienne voie ferrée qui
desservait les entrepôts de cette zone de la ville.
Désaffectée, elle a été transformée en une oasis
de verdure. Tout simplement divin ! De grandes
chaises longues en bois y sont disposées et vous
pouvez y boire un verre de vin (que vous aurez
eu soin d'acheter en chemin dans n'importe quel
liquor store). Les points de vue sur la ville et sur
l'Hudson sont tout simplement sublimes.

529 W. 20th St #8W
NYC 10011
212.206.9922
www.thehighline.org

de cu

cabinet

riosités

49

garment district

BRYANT
PARK

PLAN.01

Cet itinéraire peut être entrepris un
dimanche. Si vous le faites un samedi,
commencez par le marché aux puces
du **Chelsea Antiques Garage** (1), qui n'ouvre
pas aussi tôt qu'on pourrait s'y attendre
pour des puces. En y arrivant vers 9 h, vous
le trouverez globalement opérationnel,
même si quelques stands seront encore
en train d'ouvrir. Certaines échoppes sont
pleines à craquer : gardez l'esprit alerte,
les yeux grands ouverts, et un sens de
l'humour à toute épreuve. Vous serez
surpris de ce que vous trouverez !

PLAN.02 ☞

51

east river

MES CURIOSITÉS

Je complète et j'ajoute des pièces à mon cabinet de curiosités en permanence. Dans cet itinéraire, vous allez tomber sur toutes sortes de choses inhabituelles, grandes et petites, oubliées, déplacées, négligées, étranges et étrangères, marquées par le temps et laissées en l'état...

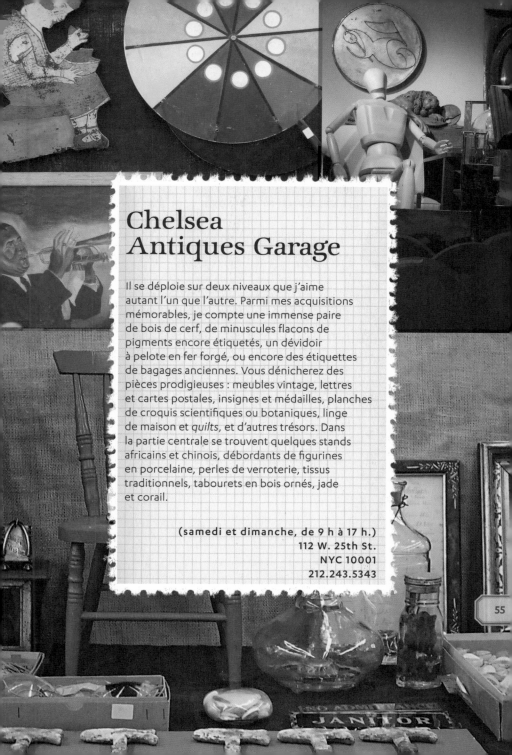

Chelsea Antiques Garage

Il se déploie sur deux niveaux que j'aime autant l'un que l'autre. Parmi mes acquisitions mémorables, je compte une immense paire de bois de cerf, de minuscules flacons de pigments encore étiquetés, un dévidoir à pelote en fer forgé, ou encore des étiquettes de bagages anciennes. Vous dénicherez des pièces prodigieuses : meubles vintage, lettres et cartes postales, insignes et médailles, planches de croquis scientifiques ou botaniques, linge de maison et *quilts*, et d'autres trésors. Dans la partie centrale se trouvent quelques stands africains et chinois, débordants de figurines en porcelaine, perles de verroterie, tissus traditionnels, tabourets en bois ornés, jade et corail.

(samedi et dimanche, de 9 h à 17 h.)
112 W. 25th St.
NYC 10001
212.243.5343

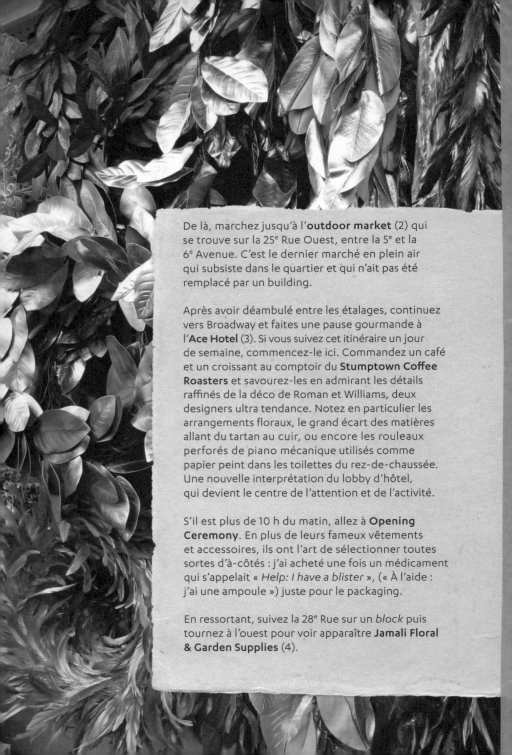

De là, marchez jusqu'à l'**outdoor market** (2) qui se trouve sur la 25e Rue Ouest, entre la 5e et la 6e Avenue. C'est le dernier marché en plein air qui subsiste dans le quartier et qui n'ait pas été remplacé par un building.

Après avoir déambulé entre les étalages, continuez vers Broadway et faites une pause gourmande à l'**Ace Hotel** (3). Si vous suivez cet itinéraire un jour de semaine, commencez-le ici. Commandez un café et un croissant au comptoir du **Stumptown Coffee Roasters** et savourez-les en admirant les détails raffinés de la déco de Roman et Williams, deux designers ultra tendance. Notez en particulier les arrangements floraux, le grand écart des matières allant du tartan au cuir, ou encore les rouleaux perforés de piano mécanique utilisés comme papier peint dans les toilettes du rez-de-chaussée. Une nouvelle interprétation du lobby d'hôtel, qui devient le centre de l'attention et de l'activité.

S'il est plus de 10 h du matin, allez à **Opening Ceremony**. En plus de leurs fameux vêtements et accessoires, ils ont l'art de sélectionner toutes sortes d'à-côtés : j'ai acheté une fois un médicament qui s'appelait « *Help: I have a blister* », (« À l'aide : j'ai une ampoule ») juste pour le packaging.

En ressortant, suivez la 28e Rue sur un *block* puis tournez à l'ouest pour voir apparaître **Jamali Floral & Garden Supplies** (4).

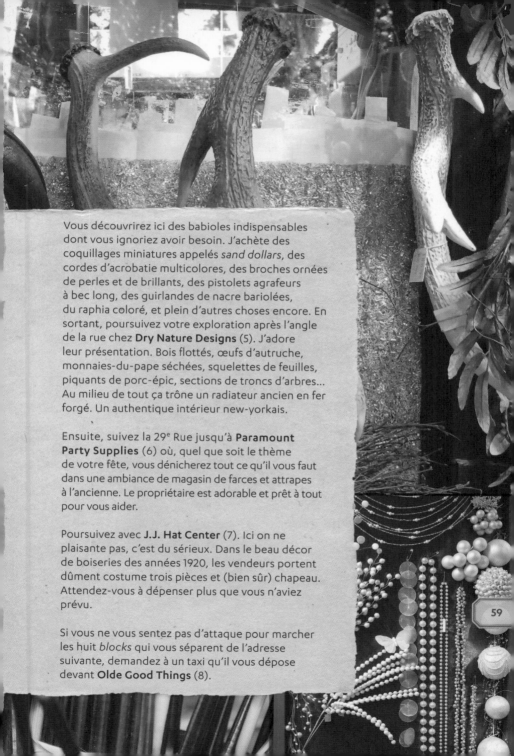

Vous découvrirez ici des babioles indispensables dont vous ignoriez avoir besoin. J'achète des coquillages miniatures appelés *sand dollars*, des cordes d'acrobatie multicolores, des broches ornées de perles et de brillants, des pistolets agrafeurs à bec long, des guirlandes de nacre bariolées, du raphia coloré, et plein d'autres choses encore. En sortant, poursuivez votre exploration après l'angle de la rue chez **Dry Nature Designs** (5). J'adore leur présentation. Bois flottés, œufs d'autruche, monnaies-du-pape séchées, squelettes de feuilles, piquants de porc-épic, sections de troncs d'arbres... Au milieu de tout ça trône un radiateur ancien en fer forgé. Un authentique intérieur new-yorkais.

Ensuite, suivez la 29ᵉ Rue jusqu'à **Paramount Party Supplies** (6) où, quel que soit le thème de votre fête, vous dénicherez tout ce qu'il vous faut dans une ambiance de magasin de farces et attrapes à l'ancienne. Le propriétaire est adorable et prêt à tout pour vous aider.

Poursuivez avec **J.J. Hat Center** (7). Ici on ne plaisante pas, c'est du sérieux. Dans le beau décor de boiseries des années 1920, les vendeurs portent dûment costume trois pièces et (bien sûr) chapeau. Attendez-vous à dépenser plus que vous n'aviez prévu.

Si vous ne vous sentez pas d'attaque pour marcher les huit *blocks* qui vous séparent de l'adresse suivante, demandez à un taxi qu'il vous dépose devant **Olde Good Things** (8).

59

Olde
Good
Things

C'est un endroit fabuleux pour les objets
de récupération. Ils ont un choix invraisemblable
de portes, volets, baignoires, tables, éviers ;
les portes que vous avez sous les yeux viennent
peut-être d'un grand hôtel de Manhattan
comme le Plaza ! Vaste section de poignées et
charnières de placards, équipements de salle de
bains, robinets et pommeaux de douche, porte-
bagages et portemanteaux, supports d'étagères,
etc. Tout y est magnifique, très *american way of
life*. (Ils ont un énorme entrepôt à l'extérieur de
la ville, surtout n'hésitez pas à demander si vous
cherchez quelque chose en particulier, ils seront
ravis d'en rapporter des trésors.)

124 W. 24th St.
NYC 10011
212.989.8401
www.ogtstore.com

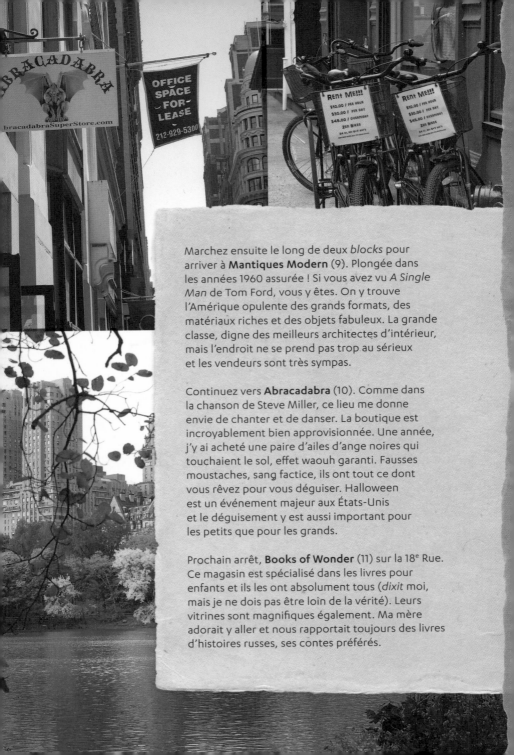

Marchez ensuite le long de deux *blocks* pour arriver à **Mantiques Modern** (9). Plongée dans les années 1960 assurée ! Si vous avez vu *A Single Man* de Tom Ford, vous y êtes. On y trouve l'Amérique opulente des grands formats, des matériaux riches et des objets fabuleux. La grande classe, digne des meilleurs architectes d'intérieur, mais l'endroit ne se prend pas trop au sérieux et les vendeurs sont très sympas.

Continuez vers **Abracadabra** (10). Comme dans la chanson de Steve Miller, ce lieu me donne envie de chanter et de danser. La boutique est incroyablement bien approvisionnée. Une année, j'y ai acheté une paire d'ailes d'ange noires qui touchaient le sol, effet waouh garanti. Fausses moustaches, sang factice, ils ont tout ce dont vous rêvez pour vous déguiser. Halloween est un événement majeur aux États-Unis et le déguisement y est aussi important pour les petits que pour les grands.

Prochain arrêt, **Books of Wonder** (11) sur la 18e Rue. Ce magasin est spécialisé dans les livres pour enfants et ils les ont absolument tous (*dixit* moi, mais je ne dois pas être loin de la vérité). Leurs vitrines sont magnifiques également. Ma mère adorait y aller et nous rapportait toujours des livres d'histoires russes, ses contes préférés.

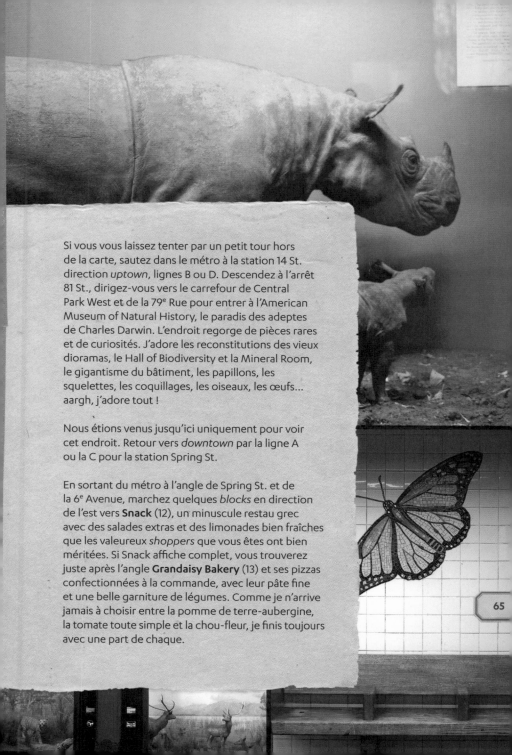

Si vous vous laissez tenter par un petit tour hors
de la carte, sautez dans le métro à la station 14 St.
direction *uptown*, lignes B ou D. Descendez à l'arrêt
81 St., dirigez-vous vers le carrefour de Central
Park West et de la 79ᵉ Rue pour entrer à l'American
Museum of Natural History, le paradis des adeptes
de Charles Darwin. L'endroit regorge de pièces rares
et de curiosités. J'adore les reconstitutions des vieux
dioramas, le Hall of Biodiversity et la Mineral Room,
le gigantisme du bâtiment, les papillons, les
squelettes, les coquillages, les oiseaux, les œufs…
aargh, j'adore tout !

Nous étions venus jusqu'ici uniquement pour voir
cet endroit. Retour vers *downtown* par la ligne A
ou la C pour la station Spring St.

En sortant du métro à l'angle de Spring St. et de
la 6ᵉ Avenue, marchez quelques *blocks* en direction
de l'est vers **Snack (12)**, un minuscule restau grec
avec des salades extras et des limonades bien fraîches
que les valeureux *shoppers* que vous êtes ont bien
méritées. Si Snack affiche complet, vous trouverez
juste après l'angle **Grandaisy Bakery (13)** et ses pizzas
confectionnées à la commande, avec leur pâte fine
et une belle garniture de légumes. Comme je n'arrive
jamais à choisir entre la pomme de terre-aubergine,
la tomate toute simple et la chou-fleur, je finis toujours
avec une part de chaque.

65

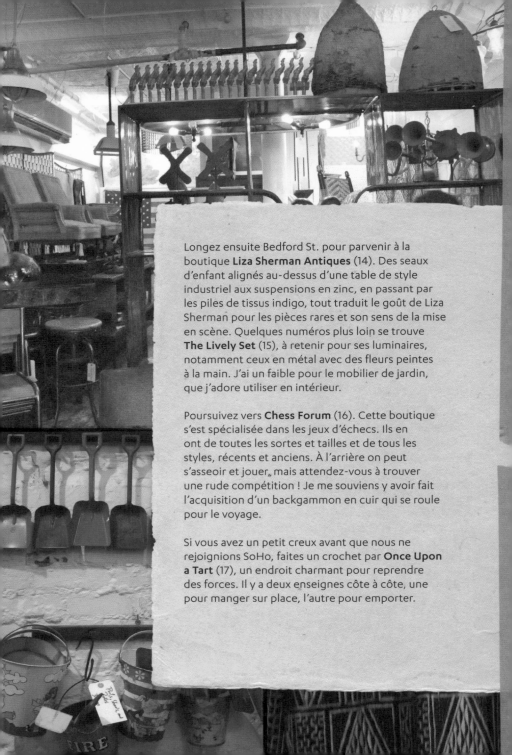

Longez ensuite Bedford St. pour parvenir à la boutique **Liza Sherman Antiques** (14). Des seaux d'enfant alignés au-dessus d'une table de style industriel aux suspensions en zinc, en passant par les piles de tissus indigo, tout traduit le goût de Liza Sherman pour les pièces rares et son sens de la mise en scène. Quelques numéros plus loin se trouve **The Lively Set** (15), à retenir pour ses luminaires, notamment ceux en métal avec des fleurs peintes à la main. J'ai un faible pour le mobilier de jardin, que j'adore utiliser en intérieur.

Poursuivez vers **Chess Forum** (16). Cette boutique s'est spécialisée dans les jeux d'échecs. Ils en ont de toutes les sortes et tailles et de tous les styles, récents et anciens. À l'arrière on peut s'asseoir et jouer, mais attendez-vous à trouver une rude compétition ! Je me souviens y avoir fait l'acquisition d'un backgammon en cuir qui se roule pour le voyage.

Si vous avez un petit creux avant que nous ne rejoignions SoHo, faites un crochet par **Once Upon a Tart** (17), un endroit charmant pour reprendre des forces. Il y a deux enseignes côte à côte, une pour manger sur place, l'autre pour emporter.

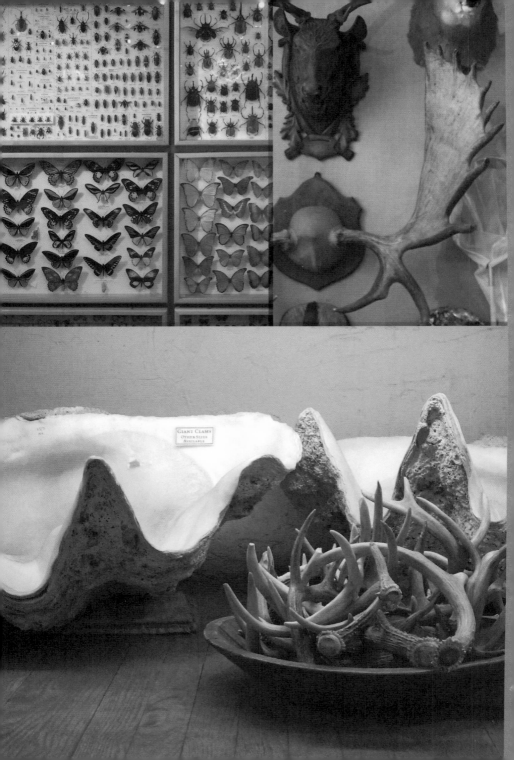

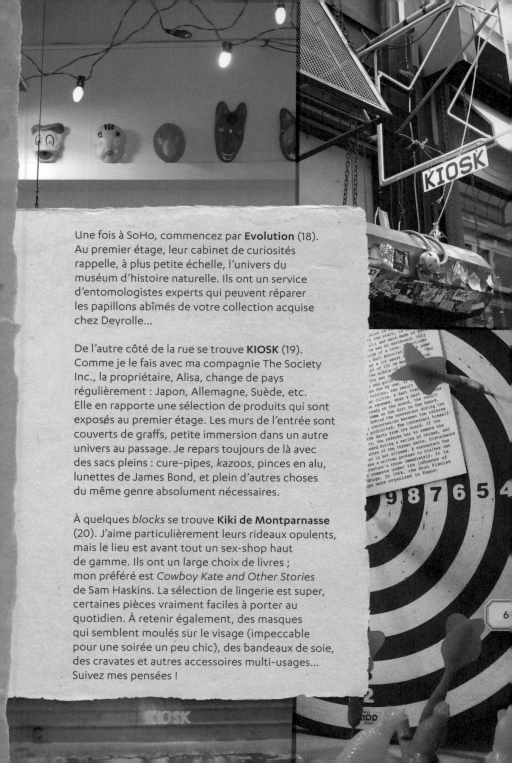

Une fois à SoHo, commencez par **Evolution** (18). Au premier étage, leur cabinet de curiosités rappelle, à plus petite échelle, l'univers du muséum d'histoire naturelle. Ils ont un service d'entomologistes experts qui peuvent réparer les papillons abîmés de votre collection acquise chez Deyrolle...

De l'autre côté de la rue se trouve **KIOSK** (19). Comme je le fais avec ma compagnie The Society Inc., la propriétaire, Alisa, change de pays régulièrement : Japon, Allemagne, Suède, etc. Elle en rapporte une sélection de produits qui sont exposés au premier étage. Les murs de l'entrée sont couverts de graffs, petite immersion dans un autre univers au passage. Je repars toujours de là avec des sacs pleins : cure-pipes, *kazoos*, pinces en alu, lunettes de James Bond, et plein d'autres choses du même genre absolument nécessaires.

À quelques *blocks* se trouve **Kiki de Montparnasse** (20). J'aime particulièrement leurs rideaux opulents, mais le lieu est avant tout un sex-shop haut de gamme. Ils ont un large choix de livres ; mon préféré est *Cowboy Kate and Other Stories* de Sam Haskins. La sélection de lingerie est super, certaines pièces vraiment faciles à porter au quotidien. À retenir également, des masques qui semblent moulés sur le visage (impeccable pour une soirée un peu chic), des bandeaux de soie, des cravates et autres accessoires multi-usages... Suivez mes pensées !

Un peu plus loin se trouve **Jack Spade** (21), un endroit bizarre et étonnant qui vend théoriquement des bagages pour homme : sacs de coursier en toile, portefeuilles, sacoches et autres baise-en-ville. Et au milieu de ces choses très utiles, il propose également le genre d'articles improbables que j'adore dénicher : des élastiques qui se séparent en quatre, des manuels de nœuds, ou des bâtonnets plats de médecin pour observer la gorge sur lesquels est gravé *I was born on a pirate ship* (« Je suis né sur un bateau de pirate »).

Continuez vers l'est sur deux *blocks* jusqu'à **Pearl River** (22). J'allais dans cette sorte de grand magasin chinois quand j'habitais le quartier à l'angle de Broadway et de Canal. C'était alors un petit boui-boui, en étage uniquement, un vrai danger incendiaire, mais j'adorais le pêle-mêle qu'on y trouvait. L'endroit a un peu perdu de son charme, mais propose encore une grande variété de produits, qualitatif et pacotille mélangés. Le rayon « porcelaine et céramique » est intéressant, mais regardez aussi les guirlandes en papier, les pyjamas chinois en coton (j'en portais enfant), les jouets à ressort en fer-blanc, ou encore la profusion de lanternes en papier.

Marchez sur Crosby St. et obliquez vers le sud pour trouver **De Vera** (23).

De Vera

Ce magasin originaire de San Francisco occupe un beau bâtiment typique de New York. À l'entrée de cet espace lumineux et raffiné est posé un grand pot en bronze où pousse une belle mousse verte. Vous voici au milieu d'objets faits main, originaux et rares, présentés avec beaucoup de soin, presque comme dans un musée. Prenez le temps de tout examiner : épingles à cheveux chinoises ornées, peignes en os, bagues twistées, œufs sculptés en pierre de lune, moulages de main, et une foule de merveilles encore.

1 Crosby St.
NYC 10013
212.625.0838
www.deveraobjects.com

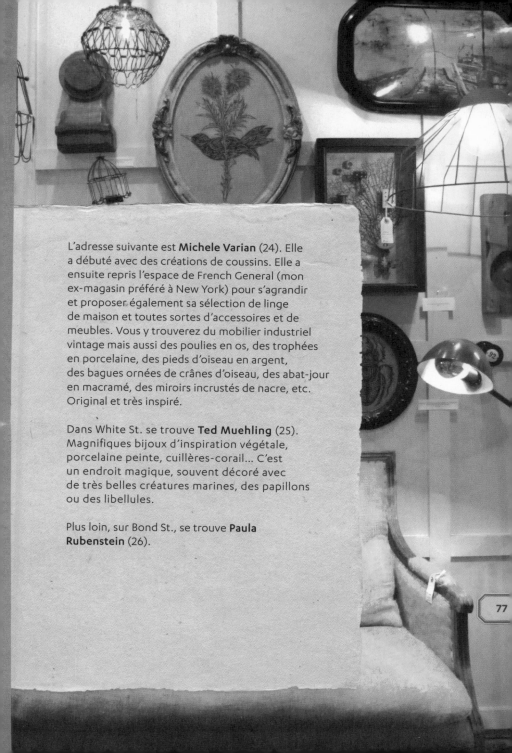

L'adresse suivante est **Michele Varian** (24). Elle a débuté avec des créations de coussins. Elle a ensuite repris l'espace de French General (mon ex-magasin préféré à New York) pour s'agrandir et proposer également sa sélection de linge de maison et toutes sortes d'accessoires et de meubles. Vous y trouverez du mobilier industriel vintage mais aussi des poulies en os, des trophées en porcelaine, des pieds d'oiseau en argent, des bagues ornées de crânes d'oiseau, des abat-jour en macramé, des miroirs incrustés de nacre, etc. Original et très inspiré.

Dans White St. se trouve **Ted Muehling** (25). Magnifiques bijoux d'inspiration végétale, porcelaine peinte, cuillères-corail... C'est un endroit magique, souvent décoré avec de très belles créatures marines, des papillons ou des libellules.

Plus loin, sur Bond St., se trouve **Paula Rubenstein** (26).

Paula Rubenstein

Parmi la pléthore de magasins de New York, celui-ci est mon magasin préféré ABSOLU. Paula a le talent de dénicher la crème de la crème des marchés aux puces du quartier. C'est une vraie connaisseuse, elle a très bon goût et est au courant de tout. Son magasin est une extension d'elle-même. Vous y verrez d'authentiques tapis amérindiens, toutes sortes de textiles (lin de teinture naturelle, chintz, imprimés floraux, indigo) et de rubans, des mannequins et des lettres en métal, des pelotes de ficelle géantes et des boules de nœuds, des articles d'art graphique, des chaînes de bateau et des photos marines, des balles en cuir (les médicales et les autres), des livres, des tampons, des tresses, des ceintures… En substance, vous l'aurez compris, on ne peut s'attendre ici qu'à l'inattendu, et toujours vintage.

21 Bond St.
NYC 10012
212.966.8954

Poursuivez vers Elizabeth St. où vous verrez
Daily 235 (27). La propriétaire travaillait auparavant
dans une autre boutique de SoHo qui s'appelait
Ad Hoc. Ici, c'est l'adresse des babioles et des
gadgets dont je raffole : bougies de formes diverses
et variées, jouets à ressort, cigarettes en chocolat,
carnets, barrettes... De quoi sourire et se souvenir.

Rivington St. héberge **Leekan Designs** (28). Annie,
la propriétaire, a déménagé de sa première adresse
dans SoHo pour s'installer là. Elle y vend toutes
sortes de chinoiseries en textile, mobilier, vaisselle,
luminaires, bijoux, œuvres d'art et autres perles.
Ça peut sembler disparate au premier regard ;
il faut s'y plonger tranquillement pour sélectionner
ce qui vous parle. J'aime ses fabuleuses présentations,
ses lanternes en tissus unis, et ses coupe-papier
en *scrimshaw*, de l'os gravé.

Si vous êtes fatigués et que vous voulez vous arrêter,
prenez un verre chez **Freemans** (29). Pénétrez dans
la Freemans Alley, avancez jusqu'aux guirlandes
lumineuses et aux arbustes sculptés, et entrez
dans ce monde à part. Imaginez : murs lambrissés
de noir, oies volantes au plafond, bois d'animaux
aux murs, quelques canards posés çà et là, et
des arrangements floraux hyper créatifs... À voir !

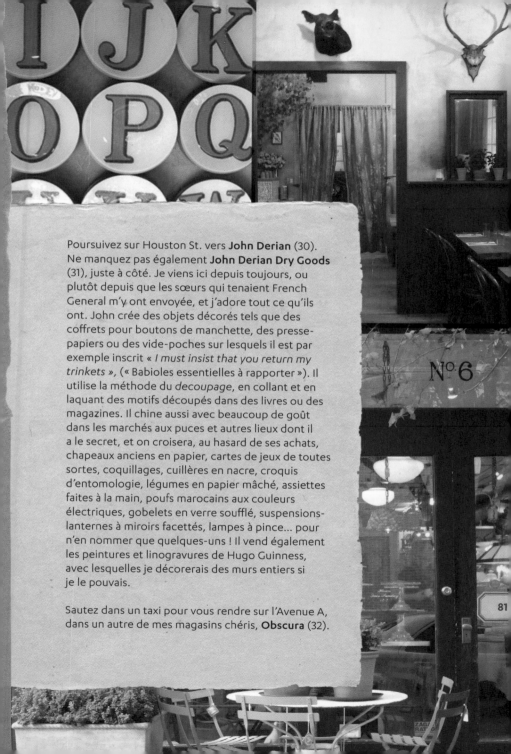

Poursuivez sur Houston St. vers **John Derian** (30).
Ne manquez pas également **John Derian Dry Goods**
(31), juste à côté. Je viens ici depuis toujours, ou
plutôt depuis que les sœurs qui tenaient French
General m'y ont envoyée, et j'adore tout ce qu'ils
ont. John crée des objets décorés tels que des
coffrets pour boutons de manchette, des presse-
papiers ou des vide-poches sur lesquels il est par
exemple inscrit « *I must insist that you return my
trinkets* », (« Babioles essentielles à rapporter »). Il
utilise la méthode du *decoupage*, en collant et en
laquant des motifs découpés dans des livres ou des
magazines. Il chine aussi avec beaucoup de goût
dans les marchés aux puces et autres lieux dont il
a le secret, et on croisera, au hasard de ses achats,
chapeaux anciens en papier, cartes de jeux de toutes
sortes, coquillages, cuillères en nacre, croquis
d'entomologie, légumes en papier mâché, assiettes
faites à la main, poufs marocains aux couleurs
électriques, gobelets en verre soufflé, suspensions-
lanternes à miroirs facettés, lampes à pince... pour
n'en nommer que quelques-uns ! Il vend également
les peintures et linogravures de Hugo Guinness,
avec lesquelles je décorerais des murs entiers si
je le pouvais.

Sautez dans un taxi pour vous rendre sur l'Avenue A,
dans un autre de mes magasins chéris, **Obscura** (32).

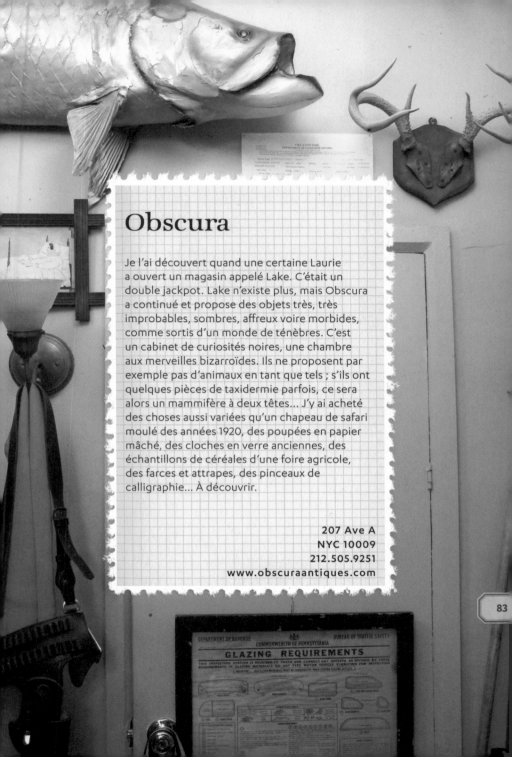

Obscura

Je l'ai découvert quand une certaine Laurie a ouvert un magasin appelé Lake. C'était un double jackpot. Lake n'existe plus, mais Obscura a continué et propose des objets très, très improbables, sombres, affreux voire morbides, comme sortis d'un monde de ténèbres. C'est un cabinet de curiosités noires, une chambre aux merveilles bizarroïdes. Ils ne proposent par exemple pas d'animaux en tant que tels ; s'ils ont quelques pièces de taxidermie parfois, ce sera alors un mammifère à deux têtes... J'y ai acheté des choses aussi variées qu'un chapeau de safari moulé des années 1920, des poupées en papier mâché, des cloches en verre anciennes, des échantillons de céréales d'une foire agricole, des farces et attrapes, des pinceaux de calligraphie... À découvrir.

207 Ave A
NYC 10009
212.505.9251
www.obscuraantiques.com

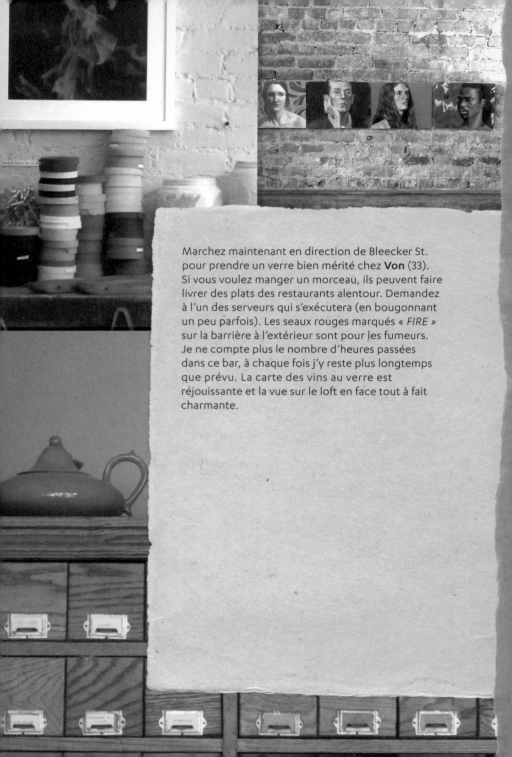

Marchez maintenant en direction de Bleecker St. pour prendre un verre bien mérité chez **Von** (33). Si vous voulez manger un morceau, ils peuvent faire livrer des plats des restaurants alentour. Demandez à l'un des serveurs qui s'exécutera (en bougonnant un peu parfois). Les seaux rouges marqués « *FIRE* » sur la barrière à l'extérieur sont pour les fumeurs. Je ne compte plus le nombre d'heures passées dans ce bar, à chaque fois j'y reste plus longtemps que prévu. La carte des vins au verre est réjouissante et la vue sur le loft en face tout à fait charmante.

joail
duinc

lerie &
aillerie

89

hudson river

chelsea

8TH AVE

W 18TH ST
W 19TH ST
W 20TH ST
W 21ST ST

7TH AVE

W 14TH ST

W 23RD ST

5

6 7

6TH AVE

W 18TH ST
W 19TH ST

4

5TH AVE

5TH AVE

8

BROADWAY

9

E 14TH ST

E 20TH ST
E 21ST ST

E 23RD ST

MADISON SQUARE PARK

MADISON AVE

UNION SQUARE

PARK AVE SOUTH

gramercy

LEXINGTON AVE

PLAN.01

Cet itinéraire est à faire un jour de semaine.

Commencez par **Metalliferous** (1), qui ouvre à 9 h. New York n'est pas une lève-tôt, peut-être à cause de ses folles nuits... Ce magasin est un chaos organisé que l'on se régale à explorer. Ils ont tout ce dont vous pouvez rêver pour réaliser vos propres bijoux et parures, tous les outils, chaînes, fermoirs, épingles, breloques, pendentifs, bref tout ce qui se fait en métal. La règle à retenir : laissez votre sac au comptoir, munissez vous d'une boîte de couleur, d'un lot de sachets transparents et d'un marqueur. Vous pourrez inscrire les codes, la quantité et le prix de vos articles au fur et à mesure que vous ferez vos emplettes.

PLAN.02

7TH AVE

BROADWAY

6TH AVE

W 45TH ST

W 46TH ST

6TH AVE

W 49TH ST

W 50TH ST

W 51ST ST

garment district

BRYANT PARK

1

2

3

5TH AVE

5TH AVE

E 42ND ST

E 47TH ST

E 48TH ST

E 49TH ST

MADISON AVE

PARK AVE

LEXINGTON AVE

CHAMBERS ST

BROADWAY

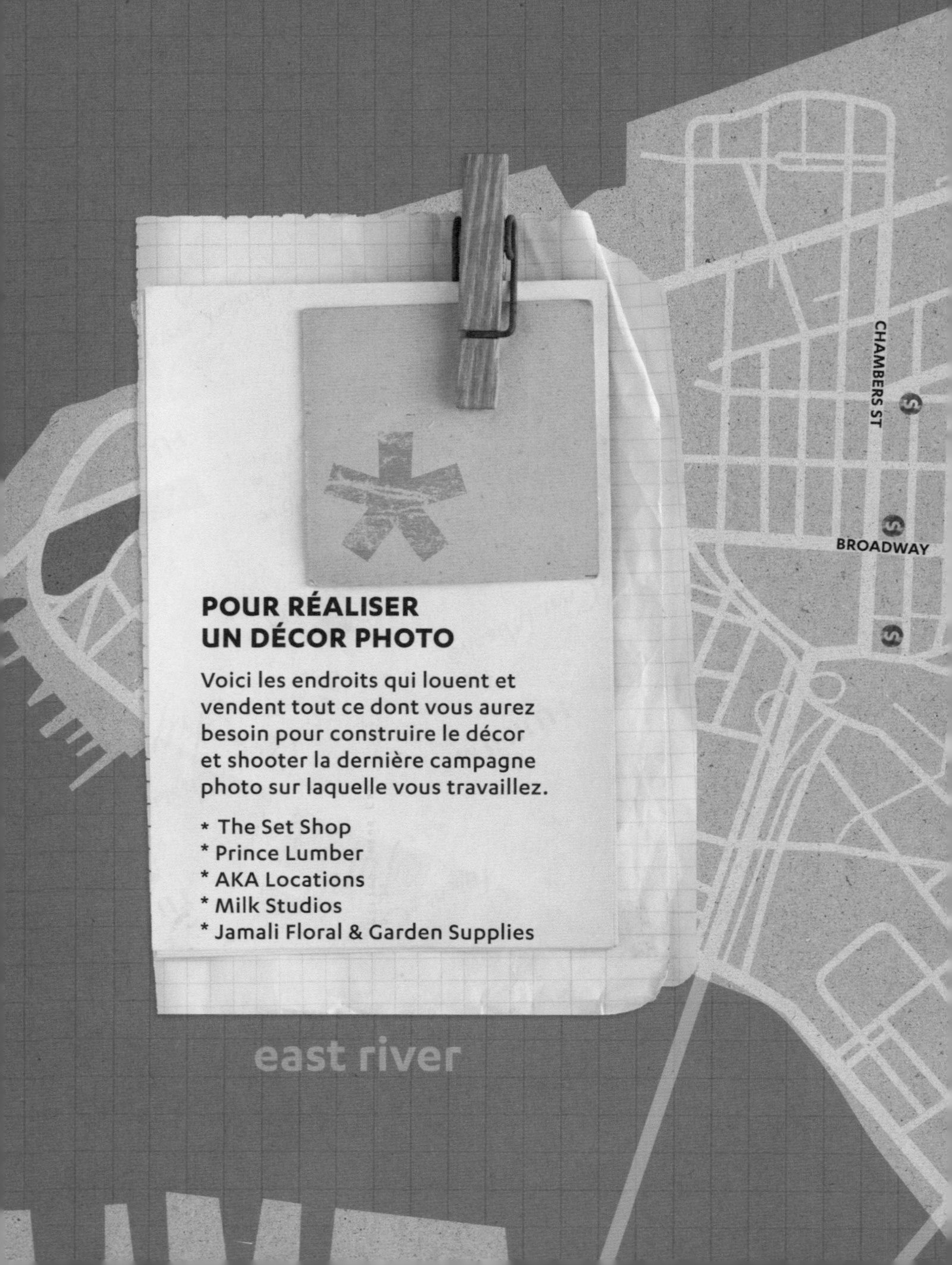

POUR RÉALISER
UN DÉCOR PHOTO

Voici les endroits qui louent et
vendent tout ce dont vous aurez
besoin pour construire le décor
et shooter la dernière campagne
photo sur laquelle vous travaillez.

* The Set Shop
* Prince Lumber
* AKA Locations
* Milk Studios
* Jamali Floral & Garden Supplies

east river

hudson river

WEST ST

N MOORE ST

GREENWICH ST

CANAL ST

HUDSON ST

FRANKLIN ST

10

HUDSON ST

VESTRY ST

11

VARICK ST

soho

6TH AVE

WASHINGTON SQUARE PARK

tribeca

12

W BROADWAY

13

WHITE ST

CHURCH ST

WOOSTER ST

BROOME ST

SPRING ST

WEST HOUSTON ST

LEONARD ST

14

15

16

FRANKLIN ST

CANAL ST

GRAND ST

MERCER ST

GREENE ST

PRINCE ST

BLEECKER ST

21

BROADWAY

20

18 19

17 HOWARD ST

LAFAYETTE ST

CROSBY ST

LAFAYETTE ST

27

BOND ST

little
italy

MULBERRY ST

22 23 24

MOTT ST

25

BOWERY

HESTER ST

GRAND ST

ELIZABETH ST

nolita

E 1ST ST

E 2ND ST

E 3RD ST

BOWERY

26

CHRYSTIE ST

east
village

SARA D ROOSEVELT PARK

DELANCEY ST

RIVINGTON ST

EAST HOUSTON ST

93

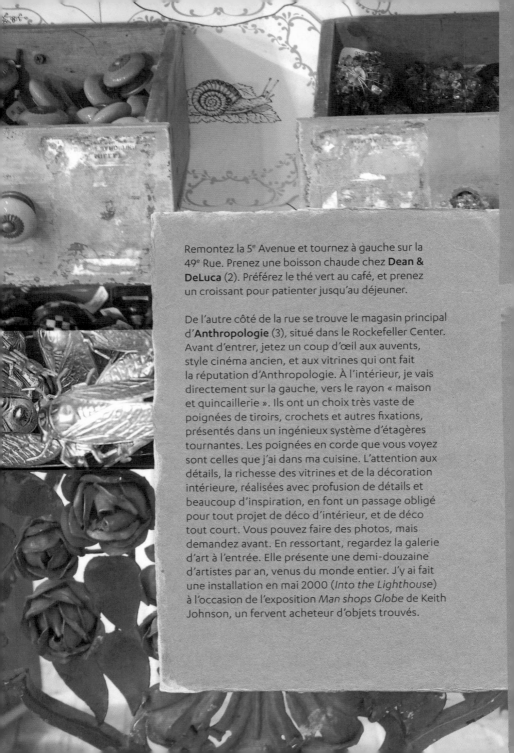

Remontez la 5ᵉ Avenue et tournez à gauche sur la 49ᵉ Rue. Prenez une boisson chaude chez **Dean & DeLuca** (2). Préférez le thé vert au café, et prenez un croissant pour patienter jusqu'au déjeuner.

De l'autre côté de la rue se trouve le magasin principal d'**Anthropologie** (3), situé dans le Rockefeller Center. Avant d'entrer, jetez un coup d'œil aux auvents, style cinéma ancien, et aux vitrines qui ont fait la réputation d'Anthropologie. À l'intérieur, je vais directement sur la gauche, vers le rayon « maison et quincaillerie ». Ils ont un choix très vaste de poignées de tiroirs, crochets et autres fixations, présentés dans un ingénieux système d'étagères tournantes. Les poignées en corde que vous voyez sont celles que j'ai dans ma cuisine. L'attention aux détails, la richesse des vitrines et de la décoration intérieure, réalisées avec profusion de détails et beaucoup d'inspiration, en font un passage obligé pour tout projet de déco d'intérieur, et de déco tout court. Vous pouvez faire des photos, mais demandez avant. En ressortant, regardez la galerie d'art à l'entrée. Elle présente une demi-douzaine d'artistes par an, venus du monde entier. J'y ai fait une installation en mai 2000 (*Into the Lighthouse*) à l'occasion de l'exposition *Man shops Globe* de Keith Johnson, un fervent acheteur d'objets trouvés.

Prenez le métro à la station 50 St.-7 Ave (lignes 1, 2 ou 3), direction *downtown* pour descendre à l'arrêt 14 St. et aller chez **Lighting & Beyond** (4). Après ma séparation d'avec mon *boyfriend*, électricien dans le cinéma, j'ai appris quelques rudiments d'électricité. J'adore acheter de quoi réaliser mes propres suspensions. Ici vous trouverez des prises, des câbles électriques en tissu, des douilles, des abat-jour et même des interrupteurs à tirette, le tout dans une large variété de finitions. Si vous vous sentez bricoleurs et qu'un petit coup de jus ne vous effraie pas, lancez-vous ! Et songez que les fils peuvent être utilisés partout dans le monde (en revanche les ampoules et prises seront à changer).

Remontez la 6ᵉ Avenue vers la 18ᵉ Rue, tournez à gauche et entrez chez **West Elm** (5), ambiance bon marché et fun sans complexe. J'achète leurs supports de tringles à rideaux que j'utilise pour fixer les cordes de mes rampes d'escaliers.

Dirigez-vous vers l'est et la 6ᵉ Avenue où se trouve **Bed Bath & Beyond** (6). Trop grand et vraiment pas glamour, mais ils ont tous les basiques dont vous pouvez avoir besoin. Ma sélection : les cintres en velours (top pour les robes, existent en taille enfant), et les crochets à rideaux à roulement à billes.

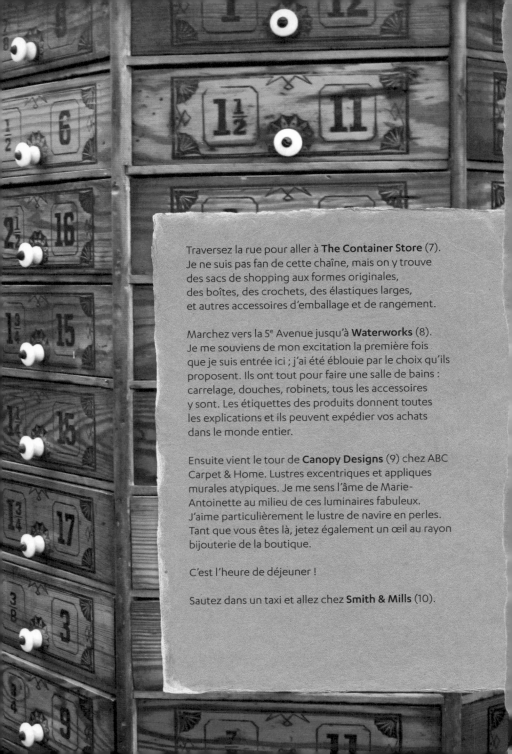

Traversez la rue pour aller à **The Container Store** (7).
Je ne suis pas fan de cette chaîne, mais on y trouve
des sacs de shopping aux formes originales,
des boîtes, des crochets, des élastiques larges,
et autres accessoires d'emballage et de rangement.

Marchez vers la 5ᵉ Avenue jusqu'à **Waterworks** (8).
Je me souviens de mon excitation la première fois
que je suis entrée ici ; j'ai été éblouie par le choix qu'ils
proposent. Ils ont tout pour faire une salle de bains :
carrelage, douches, robinets, tous les accessoires
y sont. Les étiquettes des produits donnent toutes
les explications et ils peuvent expédier vos achats
dans le monde entier.

Ensuite vient le tour de **Canopy Designs** (9) chez ABC
Carpet & Home. Lustres excentriques et appliques
murales atypiques. Je me sens l'âme de Marie-
Antoinette au milieu de ces luminaires fabuleux.
J'aime particulièrement le lustre de navire en perles.
Tant que vous êtes là, jetez également un œil au rayon
bijouterie de la boutique.

C'est l'heure de déjeuner !

Sautez dans un taxi et allez chez **Smith & Mills** (10).

97

Smith
& Mills

Je suis totalement fan de leur style de déco :
murs bruts peints en bleu ciel, luminaires
industriels articulés, banquettes en lin
capitonnées, bar en zinc où, à ce stade, on
pourrait accepter qu'on nous serve n'importe
quelle nourriture, mais il se trouve qu'en plus
c'est très bon. Il n'y a pas d'enseigne à l'extérieur
et la porte est souvent fermée, mais n'hésitez
pas, toquez et entrez ! Cette adresse est un
secret ensoleillé et charmant. Prétextez devoir
vous laver les mains pour aller voir également
leurs toilettes qui valent le détour.
Ce restau a tout compris.

71 N. Moore St.
NYC 10013
212.226.2515
www.smithandmills.com

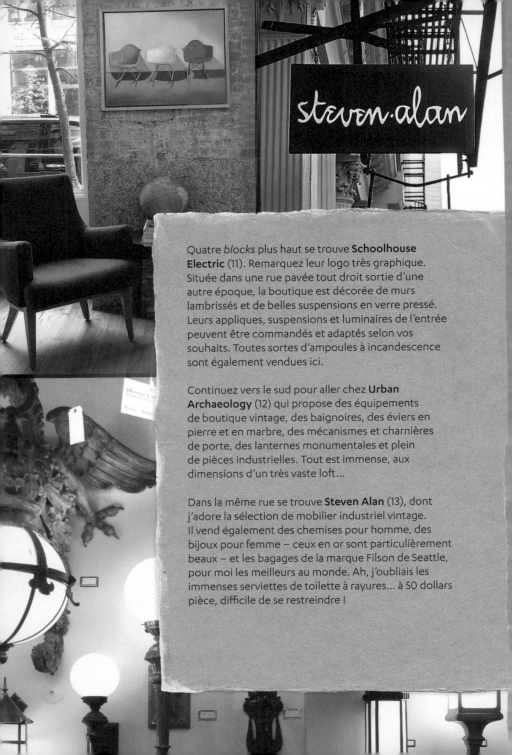

Quatre *blocks* plus haut se trouve **Schoolhouse Electric** (11). Remarquez leur logo très graphique. Située dans une rue pavée tout droit sortie d'une autre époque, la boutique est décorée de murs lambrissés et de belles suspensions en verre pressé. Leurs appliques, suspensions et luminaires de l'entrée peuvent être commandés et adaptés selon vos souhaits. Toutes sortes d'ampoules à incandescence sont également vendues ici.

Continuez vers le sud pour aller chez **Urban Archaeology** (12) qui propose des équipements de boutique vintage, des baignoires, des éviers en pierre et en marbre, des mécanismes et charnières de porte, des lanternes monumentales et plein de pièces industrielles. Tout est immense, aux dimensions d'un très vaste loft...

Dans la même rue se trouve **Steven Alan** (13), dont j'adore la sélection de mobilier industriel vintage. Il vend également des chemises pour homme, des bijoux pour femme – ceux en or sont particulièrement beaux – et les bagages de la marque Filson de Seattle, pour moi les meilleurs au monde. Ah, j'oubliais les immenses serviettes de toilette à rayures... à 50 dollars pièce, difficile de se restreindre !

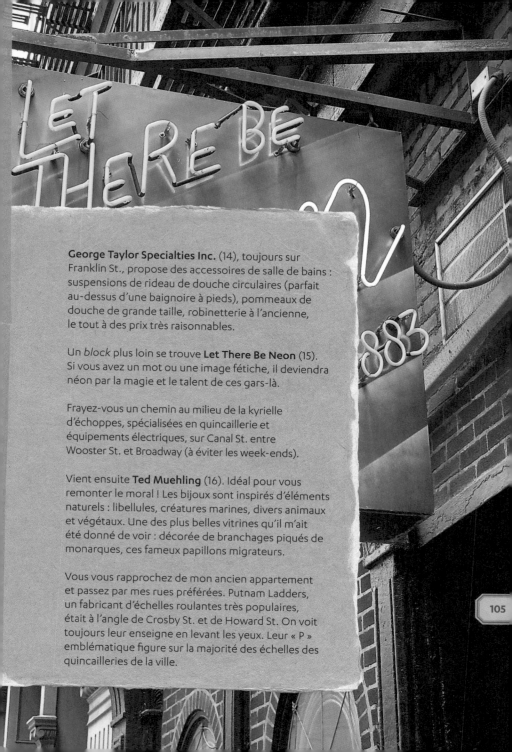

George Taylor Specialties Inc. (14), toujours sur Franklin St., propose des accessoires de salle de bains : suspensions de rideau de douche circulaires (parfait au-dessus d'une baignoire à pieds), pommeaux de douche de grande taille, robinetterie à l'ancienne, le tout à des prix très raisonnables.

Un *block* plus loin se trouve **Let There Be Neon** (15). Si vous avez un mot ou une image fétiche, il deviendra néon par la magie et le talent de ces gars-là.

Frayez-vous un chemin au milieu de la kyrielle d'échoppes, spécialisées en quincaillerie et équipements électriques, sur Canal St. entre Wooster St. et Broadway (à éviter les week-ends).

Vient ensuite **Ted Muehling** (16). Idéal pour vous remonter le moral ! Les bijoux sont inspirés d'éléments naturels : libellules, créatures marines, divers animaux et végétaux. Une des plus belles vitrines qu'il m'ait été donné de voir : décorée de branchages piqués de monarques, ces fameux papillons migrateurs.

Vous vous rapprochez de mon ancien appartement et passez par mes rues préférées. Putnam Ladders, un fabricant d'échelles roulantes très populaires, était à l'angle de Crosby St. et de Howard St. On voit toujours leur enseigne en levant les yeux. Leur « P » emblématique figure sur la majorité des échelles des quincailleries de la ville.

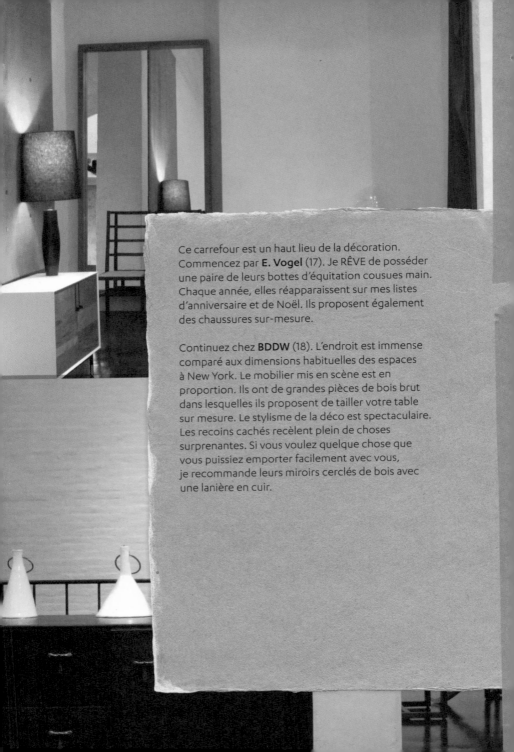

Ce carrefour est un haut lieu de la décoration.
Commencez par **E. Vogel** (17). Je RÊVE de posséder
une paire de leurs bottes d'équitation cousues main.
Chaque année, elles réapparaissent sur mes listes
d'anniversaire et de Noël. Ils proposent également
des chaussures sur-mesure.

Continuez chez **BDDW** (18). L'endroit est immense
comparé aux dimensions habituelles des espaces
à New York. Le mobilier mis en scène est en
proportion. Ils ont de grandes pièces de bois brut
dans lesquelles ils proposent de tailler votre table
sur mesure. Le stylisme de la déco est spectaculaire.
Les recoins cachés recèlent plein de choses
surprenantes. Si vous voulez quelque chose que
vous puissiez emporter facilement avec vous,
je recommande leurs miroirs cerclés de bois avec
une lanière en cuir.

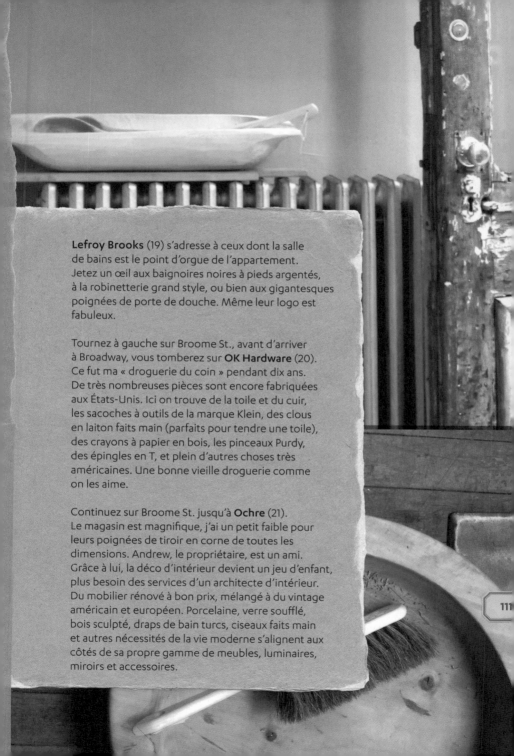

Lefroy Brooks (19) s'adresse à ceux dont la salle de bains est le point d'orgue de l'appartement. Jetez un œil aux baignoires noires à pieds argentés, à la robinetterie grand style, ou bien aux gigantesques poignées de porte de douche. Même leur logo est fabuleux.

Tournez à gauche sur Broome St., avant d'arriver à Broadway, vous tomberez sur **OK Hardware** (20). Ce fut ma « droguerie du coin » pendant dix ans. De très nombreuses pièces sont encore fabriquées aux États-Unis. Ici on trouve de la toile et du cuir, les sacoches à outils de la marque Klein, des clous en laiton faits main (parfaits pour tendre une toile), des crayons à papier en bois, les pinceaux Purdy, des épingles en T, et plein d'autres choses très américaines. Une bonne vieille droguerie comme on les aime.

Continuez sur Broome St. jusqu'à **Ochre** (21). Le magasin est magnifique, j'ai un petit faible pour leurs poignées de tiroir en corne de toutes les dimensions. Andrew, le propriétaire, est un ami. Grâce à lui, la déco d'intérieur devient un jeu d'enfant, plus besoin des services d'un architecte d'intérieur. Du mobilier rénové à bon prix, mélangé à du vintage américain et européen. Porcelaine, verre soufflé, bois sculpté, draps de bain turcs, ciseaux faits main et autres nécessités de la vie moderne s'alignent aux côtés de sa propre gamme de meubles, luminaires, miroirs et accessoires.

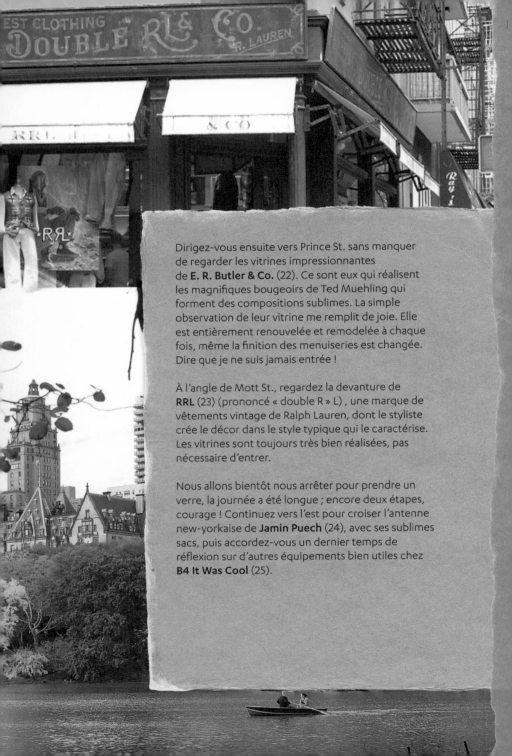

Dirigez-vous ensuite vers Prince St. sans manquer de regarder les vitrines impressionnantes de **E. R. Butler & Co.** (22). Ce sont eux qui réalisent les magnifiques bougeoirs de Ted Muehling qui forment des compositions sublimes. La simple observation de leur vitrine me remplit de joie. Elle est entièrement renouvelée et remodelée à chaque fois, même la finition des menuiseries est changée. Dire que je ne suis jamais entrée !

À l'angle de Mott St., regardez la devanture de **RRL** (23) (prononcé « double R » L), une marque de vêtements vintage de Ralph Lauren, dont le styliste crée le décor dans le style typique qui le caractérise. Les vitrines sont toujours très bien réalisées, pas nécessaire d'entrer.

Nous allons bientôt nous arrêter pour prendre un verre, la journée a été longue ; encore deux étapes, courage ! Continuez vers l'est pour croiser l'antenne new-yorkaise de **Jamin Puech** (24), avec ses sublimes sacs, puis accordez-vous un dernier temps de réflexion sur d'autres équipements bien utiles chez **B4 It Was Cool** (25).

Jamin Puech

C'est ma boutique favorite pour les sacs, dangereusement bien située, à deux pas de mon ancien appartement. Mon amie Edwina m'a initiée à cette marque à laquelle je suis fidèle depuis dix ans, chaque nouveau sac me paraissant totalement unique malgré ses nombreux prédécesseurs. Ils sont magnifiquement réalisés, avec la valeur qu'apporte le fait-main.
Les matières et les finitions sont sublimes, toutes en superpositions et en surprises. Songez à un assemblage complexe de cuir, sequins, pièces ajoutées, accessoires en nacre, perles en bois, raphia noué, crochets en os, etc.
J'en ai pour tous les jours, pour les occasions spéciales, pour les soirées et ils sont tous aussi beaux les uns que les autres.

14 Prince St.
NYC 10012
212.431.5200
www.jamin-puech.com

B4
It Was
Cool

Si vous aimez les luminaires vintage autant que
moi, cette caverne de lampes à la MacGyver
est un vrai bonheur. La plupart des pièces sont
fabriquées aux États-Unis, souvent vendues
telles quelles mais parfois aussi remontées ici.
Le propriétaire, Gadi Gilan, peut paraître froid
au premier abord, mais s'il voit la flamme de
la passion en vous, il vous invitera au sous-sol.
Et si vous tombez amoureux comme moi de
beaucoup trop de jolies pièces, sachez qu'il
pourra toujours vous les expédier où vous
voulez dans le monde. Une fois livrées, il
ne vous restera plus qu'à en changer les prises
et à acheter des ampoules.

89 E. Houston St.
NYC 10012
212.219.0139
www.b4itwascool.com

119

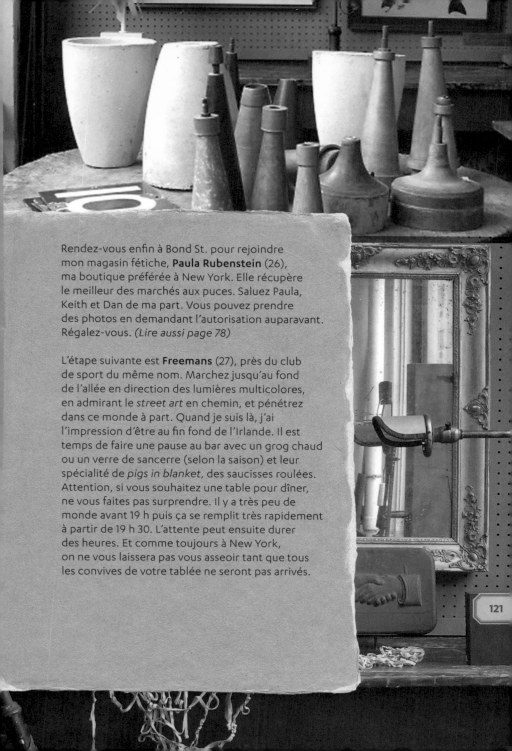

Rendez-vous enfin à Bond St. pour rejoindre mon magasin fétiche, **Paula Rubenstein** (26), ma boutique préférée à New York. Elle récupère le meilleur des marchés aux puces. Saluez Paula, Keith et Dan de ma part. Vous pouvez prendre des photos en demandant l'autorisation auparavant. Régalez-vous. *(Lire aussi page 78)*

L'étape suivante est **Freemans** (27), près du club de sport du même nom. Marchez jusqu'au fond de l'allée en direction des lumières multicolores, en admirant le *street art* en chemin, et pénétrez dans ce monde à part. Quand je suis là, j'ai l'impression d'être au fin fond de l'Irlande. Il est temps de faire une pause au bar avec un grog chaud ou un verre de sancerre (selon la saison) et leur spécialité de *pigs in blanket*, des saucisses roulées. Attention, si vous souhaitez une table pour dîner, ne vous faites pas surprendre. Il y a très peu de monde avant 19 h puis ça se remplit très rapidement à partir de 19 h 30. L'attente peut ensuite durer des heures. Et comme toujours à New York, on ne vous laissera pas vous asseoir tant que tous les convives de votre tablée ne seront pas arrivés.

m

&

fa

ercerie
t-main

123

hudson river

WEST ST

10TH AVE

WEST ST

GANSEVOORT ST

LITTLE W 12TH ST

17

16

W 14TH ST

W 13TH ST

W 15TH ST

W 16TH ST

14 15

9TH AVE

west village

8TH AVE

PLAN.01

Essayez de faire cet itinéraire en semaine, au pire le samedi matin. Je le trouve plus intéressant en semaine, on baigne alors dans l'activité du quartier de la mode.

Le *fashion district*, ou *garnment district*, est globalement situé dans un carré qui va de la 34e à la 41e Rue, et de la 5e à la 8e Avenue. L'activité démarre tôt, les boutiques sont ouvertes dès 8 h 30 le matin.

Commençons par une autre de mes adresses préférées à New York, **Tinsel Trading Co** (1).

UNION SQUARE

PLAN.02

CHELSEA
PARK

chelsea

W 29TH ST

CHELSEA
PARK

W 25TH ST
W 26TH ST

10 11

W 30TH ST

8TH AVE

W 39TH ST
W 40TH ST
W 41ST ST

9

W 34TH ST
W 36TH ST
W 37TH ST
W 38TH ST

6 8
7 5

W 23RD ST
W 24TH ST

13

W 27TH ST
W 28TH ST

12

6TH AVE

7TH AVE

garment
district

BROADWAY

2 3

6TH AVE

BRYANT
PARK

BROADWAY

1

4

MADISON
SQUARE
PARK

5TH AVE

E 36TH ST
E 37TH ST
E 38TH ST

MADISON AVE

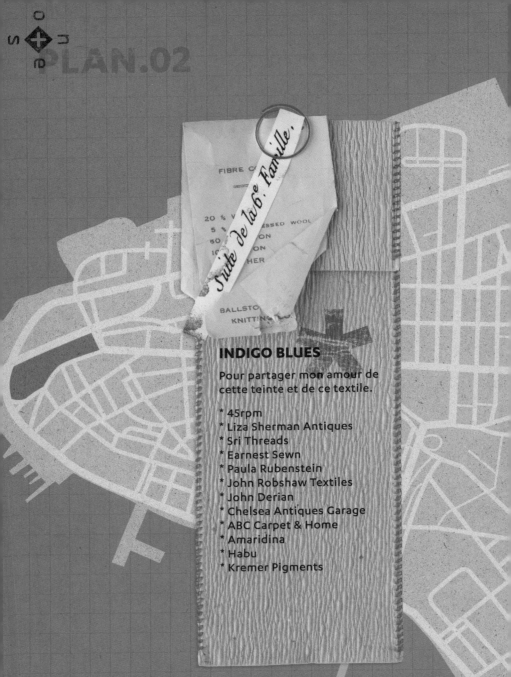

FIBRE CO

20 % W
5 % ESSED WOOL
50 ON
10 ON
HER

Suite De la 6. Famille.

BALLSTO
KNITTING

INDIGO BLUES

Pour partager mon amour de
cette teinte et de ce textile.

* 45rpm
* Liza Sherman Antiques
* Sri Threads
* Earnest Sewn
* Paula Rubenstein
* John Robshaw Textiles
* John Derian
* Chelsea Antiques Garage
* ABC Carpet & Home
* Amaridina
* Habu
* Kremer Pigments

hudson river

soho

tribeca

6TH AVE
SULLIVAN ST

THOMPSON ST

W BROADWAY

18
19
20

PRINCE ST

WEST HOUSTON ST

WASHINGTON
SQUARE PARK

CANAL ST

WOOSTER ST

BROOME ST

SPRING ST

CHURCH ST

GREENE ST

23

22

21

MERCER ST

GRAND ST

BROADWAY

CROSBY ST

25

LAFAYETTE ST

24

LAFAYETTE ST

BOND ST

26

3RD AVE

little
italy

MULBERRY ST

MOTT ST

BOWERY

E 2ND ST

E 3RD ST

E 4TH ST

E 5TH ST

nolita

EAST HOUSTON ST

2ND AVE

east
village

SARA D ROOSEVELT PARK

EAST HOUSTON ST

127

Tinsel Trading Co

Marcia gère ce magasin ainsi que le stock amassé par son grand-père. Je vous recommande la lecture de *Treasured Notions* de Kaari Meng pour avoir un aperçu de leur histoire familiale. Vous êtes sans doute déjà au courant de ma double passion pour la mercerie et la quincaillerie ; eh bien, ici c'est la première des deux qui est assouvie. Préparez-vous à plonger dans le passé : fleurs de modiste en velours, plumes colorées, chutes de tissus, lettres en verre brillant, fils métalliques, glands de toutes les tailles, rubans, fleurs en papier crépon, passementerie, franges, cartes, boutons, guirlandes, ornements, et toutes sortes de trésors. Avez-vous remarqué l'échelle roulante Putnam sur la photo de la page suivante ? *(Lire aussi page 105)*

1 W. 37th St.
NYC 10018
212.730.1030
www.tinseltrading.com

129

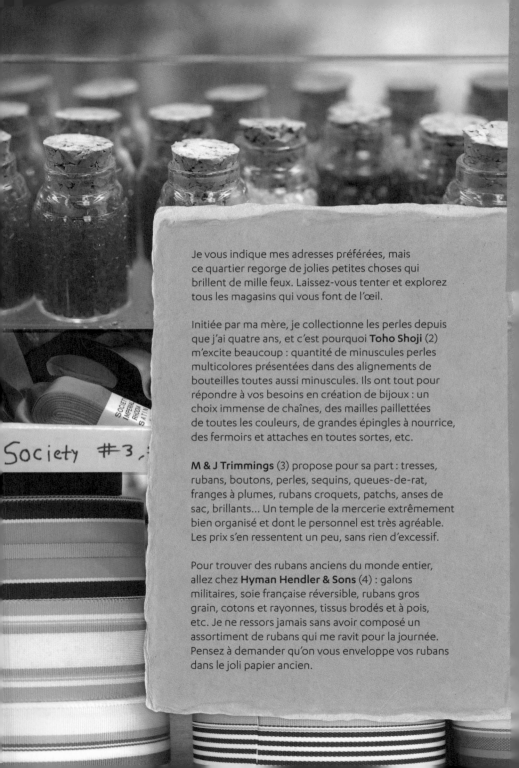

Je vous indique mes adresses préférées, mais ce quartier regorge de jolies petites choses qui brillent de mille feux. Laissez-vous tenter et explorez tous les magasins qui vous font de l'œil.

Initiée par ma mère, je collectionne les perles depuis que j'ai quatre ans, et c'est pourquoi **Toho Shoji** (2) m'excite beaucoup : quantité de minuscules perles multicolores présentées dans des alignements de bouteilles toutes aussi minuscules. Ils ont tout pour répondre à vos besoins en création de bijoux : un choix immense de chaînes, des mailles paillettées de toutes les couleurs, de grandes épingles à nourrice, des fermoirs et attaches en toutes sortes, etc.

M & J Trimmings (3) propose pour sa part : tresses, rubans, boutons, perles, sequins, queues-de-rat, franges à plumes, rubans croquets, patchs, anses de sac, brillants... Un temple de la mercerie extrêmement bien organisé et dont le personnel est très agréable. Les prix s'en ressentent un peu, sans rien d'excessif.

Pour trouver des rubans anciens du monde entier, allez chez **Hyman Hendler & Sons** (4) : galons militaires, soie française réversible, rubans gros grain, cotons et rayonnes, tissus brodés et à pois, etc. Je ne ressors jamais sans avoir composé un assortiment de rubans qui me ravit pour la journée. Pensez à demander qu'on vous enveloppe vos rubans dans le joli papier ancien.

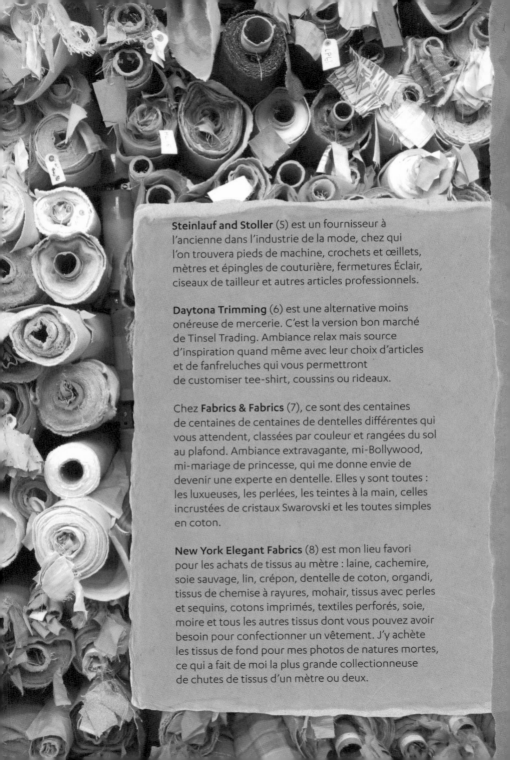

Steinlauf and Stoller (5) est un fournisseur à l'ancienne dans l'industrie de la mode, chez qui l'on trouvera pieds de machine, crochets et œillets, mètres et épingles de couturière, fermetures Éclair, ciseaux de tailleur et autres articles professionnels.

Daytona Trimming (6) est une alternative moins onéreuse de mercerie. C'est la version bon marché de Tinsel Trading. Ambiance relax mais source d'inspiration quand même avec leur choix d'articles et de fanfreluches qui vous permettront de customiser tee-shirt, coussins ou rideaux.

Chez **Fabrics & Fabrics** (7), ce sont des centaines de centaines de centaines de dentelles différentes qui vous attendent, classées par couleur et rangées du sol au plafond. Ambiance extravagante, mi-Bollywood, mi-mariage de princesse, qui me donne envie de devenir une experte en dentelle. Elles y sont toutes : les luxueuses, les perlées, les teintes à la main, celles incrustées de cristaux Swarovski et les toutes simples en coton.

New York Elegant Fabrics (8) est mon lieu favori pour les achats de tissus au mètre : laine, cachemire, soie sauvage, lin, crépon, dentelle de coton, organdi, tissus de chemise à rayures, mohair, tissus avec perles et sequins, cotons imprimés, textiles perforés, soie, moire et tous les autres tissus dont vous pouvez avoir besoin pour confectionner un vêtement. J'y achète les tissus de fond pour mes photos de natures mortes, ce qui a fait de moi la plus grande collectionneuse de chutes de tissus d'un mètre ou deux.

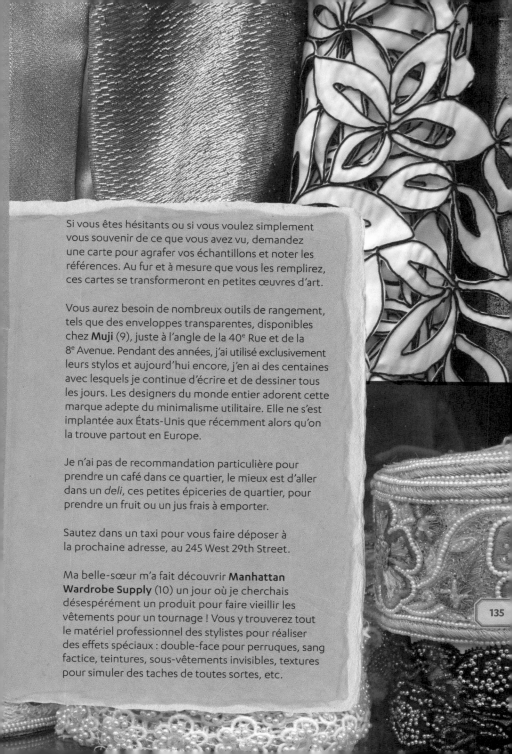

Si vous êtes hésitants ou si vous voulez simplement vous souvenir de ce que vous avez vu, demandez une carte pour agrafer vos échantillons et noter les références. Au fur et à mesure que vous les remplirez, ces cartes se transformeront en petites œuvres d'art.

Vous aurez besoin de nombreux outils de rangement, tels que des enveloppes transparentes, disponibles chez **Muji** (9), juste à l'angle de la 40e Rue et de la 8e Avenue. Pendant des années, j'ai utilisé exclusivement leurs stylos et aujourd'hui encore, j'en ai des centaines avec lesquels je continue d'écrire et de dessiner tous les jours. Les designers du monde entier adorent cette marque adepte du minimalisme utilitaire. Elle ne s'est implantée aux États-Unis que récemment alors qu'on la trouve partout en Europe.

Je n'ai pas de recommandation particulière pour prendre un café dans ce quartier, le mieux est d'aller dans un *deli*, ces petites épiceries de quartier, pour prendre un fruit ou un jus frais à emporter.

Sautez dans un taxi pour vous faire déposer à la prochaine adresse, au 245 West 29th Street.

Ma belle-sœur m'a fait découvrir **Manhattan Wardrobe Supply** (10) un jour où je cherchais désespérément un produit pour faire vieillir les vêtements pour un tournage ! Vous y trouverez tout le matériel professionnel des stylistes pour réaliser des effets spéciaux : double-face pour perruques, sang factice, teintures, sous-vêtements invisibles, textures pour simuler des taches de toutes sortes, etc.

En entrant chez **John Robshaw Textiles** (11) (sur rendez-vous uniquement), regardez le papier peint indigo. Je dis ça car, en sortant, vous en aurez tellement pris plein les yeux que vous ne pourrez plus en profiter... On se sent dans ce showroom comme dans la maison de quelqu'un qui aurait parcouru le monde entier, pour en ramener ikats, suzanis, dhurries, shiboris, batiks, tissus ornés de miroirs ou imprimés à la planche. Tous ces textiles vintage sont disponibles à la vente. John propose également des gammes de textiles contemporains, coussins, linge de lit ou tissus au mètre. J'adore les chaises qu'il crée, habillées de sa propre gamme, avec des incrustations de nacre, de perles ou d'argent, idem pour ses têtes et tours de lit.

Prolongez à l'est sur la 29e Rue jusqu'à **Habu** (12).

Habu

Véritable trésor caché dans un immeuble
de bureaux, Habu fait le commerce de fibres
naturelles venues de toute l'Asie pour le
tissage, le tricot ou le crochet, proposant tous
les grands classiques mais aussi les plus rares,
comme des cocons secs de soie. Vous pouvez
faire l'acquisition de leur livre d'échantillons
pour 27 dollars. Ils ont un petit rayon d'objets
et d'accessoires également, où j'ai pu acheter
un porte-monnaie tricoté ou une écharpe
tissée laotienne, entre autres.

135 W. 29th St. #804
NYC 10001
212.239.3546
www.habutextiles.com

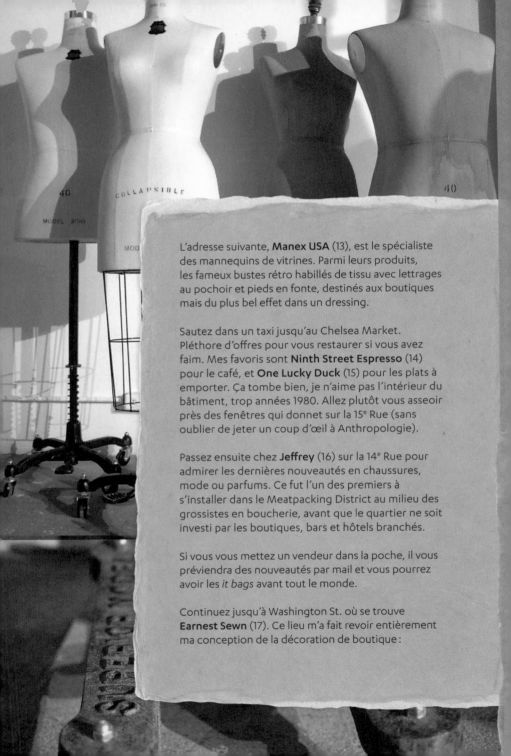

L'adresse suivante, **Manex USA** (13), est le spécialiste des mannequins de vitrines. Parmi leurs produits, les fameux bustes rétro habillés de tissu avec lettrages au pochoir et pieds en fonte, destinés aux boutiques mais du plus bel effet dans un dressing.

Sautez dans un taxi jusqu'au Chelsea Market. Pléthore d'offres pour vous restaurer si vous avez faim. Mes favoris sont **Ninth Street Espresso** (14) pour le café, et **One Lucky Duck** (15) pour les plats à emporter. Ça tombe bien, je n'aime pas l'intérieur du bâtiment, trop années 1980. Allez plutôt vous asseoir près des fenêtres qui donnet sur la 15ᵉ Rue (sans oublier de jeter un coup d'œil à Anthropologie).

Passez ensuite chez **Jeffrey** (16) sur la 14ᵉ Rue pour admirer les dernières nouveautés en chaussures, mode ou parfums. Ce fut l'un des premiers à s'installer dans le Meatpacking District au milieu des grossistes en boucherie, avant que le quartier ne soit investi par les boutiques, bars et hôtels branchés.

Si vous vous mettez un vendeur dans la poche, il vous préviendra des nouveautés par mail et vous pourrez avoir les *it bags* avant tout le monde.

Continuez jusqu'à Washington St. où se trouve **Earnest Sewn** (17). Ce lieu m'a fait revoir entièrement ma conception de la décoration de boutique :

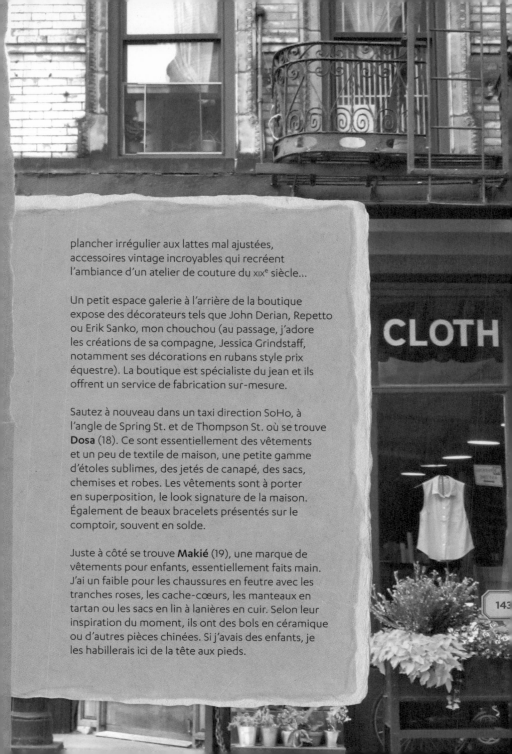

plancher irrégulier aux lattes mal ajustées, accessoires vintage incroyables qui recréent l'ambiance d'un atelier de couture du xixᵉ siècle...

Un petit espace galerie à l'arrière de la boutique expose des décorateurs tels que John Derian, Repetto ou Erik Sanko, mon chouchou (au passage, j'adore les créations de sa compagne, Jessica Grindstaff, notamment ses décorations en rubans style prix équestre). La boutique est spécialiste du jean et ils offrent un service de fabrication sur-mesure.

Sautez à nouveau dans un taxi direction SoHo, à l'angle de Spring St. et de Thompson St. où se trouve **Dosa** (18). Ce sont essentiellement des vêtements et un peu de textile de maison, une petite gamme d'étoles sublimes, des jetés de canapé, des sacs, chemises et robes. Les vêtements sont à porter en superposition, le look signature de la maison. Également de beaux bracelets présentés sur le comptoir, souvent en solde.

Juste à côté se trouve **Makié** (19), une marque de vêtements pour enfants, essentiellement faits main. J'ai un faible pour les chaussures en feutre avec les tranches roses, les cache-cœurs, les manteaux en tartan ou les sacs en lin à lanières en cuir. Selon leur inspiration du moment, ils ont des bols en céramique ou d'autres pièces chinées. Si j'avais des enfants, je les habillerais ici de la tête aux pieds.

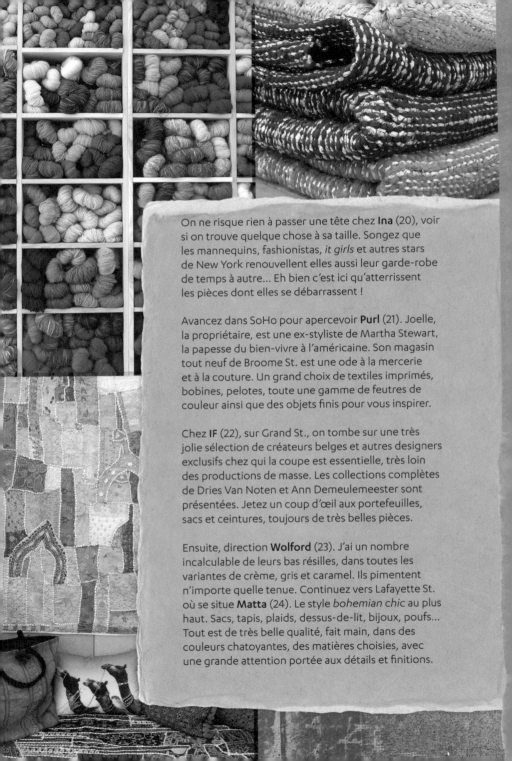

On ne risque rien à passer une tête chez **Ina** (20), voir si on trouve quelque chose à sa taille. Songez que les mannequins, fashionistas, *it girls* et autres stars de New York renouvellent elles aussi leur garde-robe de temps à autre... Eh bien c'est ici qu'atterrissent les pièces dont elles se débarrassent !

Avancez dans SoHo pour apercevoir **Purl** (21). Joelle, la propriétaire, est une ex-styliste de Martha Stewart, la papesse du bien-vivre à l'américaine. Son magasin tout neuf de Broome St. est une ode à la mercerie et à la couture. Un grand choix de textiles imprimés, bobines, pelotes, toute une gamme de feutres de couleur ainsi que des objets finis pour vous inspirer.

Chez **IF** (22), sur Grand St., on tombe sur une très jolie sélection de créateurs belges et autres designers exclusifs chez qui la coupe est essentielle, très loin des productions de masse. Les collections complètes de Dries Van Noten et Ann Demeulemeester sont présentées. Jetez un coup d'œil aux portefeuilles, sacs et ceintures, toujours de très belles pièces.

Ensuite, direction **Wolford** (23). J'ai un nombre incalculable de leurs bas résilles, dans toutes les variantes de crème, gris et caramel. Ils pimentent n'importe quelle tenue. Continuez vers Lafayette St. où se situe **Matta** (24). Le style *bohemian chic* au plus haut. Sacs, tapis, plaids, dessus-de-lit, bijoux, poufs... Tout est de très belle qualité, fait main, dans des couleurs chatoyantes, des matières choisies, avec une grande attention portée aux détails et finitions.

Deux options s'offrent à vous pour terminer la journée :
1. Avec huîtres et champagne au zinc du **Balthazar** (25) ou, si vous êtes chanceux, avec d'excellents œufs durs servis vers 16 h.

ou

2. Si vous avez un ou une styliste parmi vos relations qui puisse vous faire entrer à la **Albright Fashion Library** (26), vous pourrez, mesdames, vous faire prêter une tenue fabuleuse, issue des toutes dernières collections, et repartir habillées de glamour pour n'importe quel événement ou cocktail où vous seriez invitées. En accédant à ce grand loft, vous aurez l'impression de pénétrer dans un dressing de rêve, tel que pourrait être celui de Carrie Bradshaw et de sa styliste Patricia Field. Aucun meuble, une succession à perte de vue de portants à vêtements et de rayons de chaussures, tous triés par couleurs.

&
ta
c

rapiers

oissiers

151

hudson river

west
village

greenwich
village

HUDSON ST

LEROY ST

CLARKSON ST

GREENWICH ST

11

$

$

$

$

soho

WASHINGTON
SQUARE PARK

BROOME ST

W BROADWAY

WOOSTER ST

18

17

GREENE ST

SPRING ST

MERCER ST

PRINCE ST

WEST HOUSTON ST

BLEECKER ST

UNIVERSITY PL

GRAND ST

BROADWAY

19

12

CROSBY ST

$

$

BROADWAY

E 10TH ST

E 9TH ST

10

16

14

LAFAYETTE ST

15

$

CENTRE ST

LAFAYETTE ST

MULBERRY ST

DELANCEY ST

little
italy

BROOME ST

13

MOTT ST

ELIZABETH ST

BOWERY

nolita

$

PLAN.01

Je vous conseille de faire cet itinéraire un jour de semaine. Avant de commencer, prenez rendez-vous avec Secondhand Rose et avec Trove pour la fin de la matinée, vers 11-12 h.

Si vous êtes un lundi, mercredi, vendredi ou samedi, commencez à l'Union Square Market où vous pouvez déguster un cidre ou un jus de fruits de saison. Cherchez ensuite la camionnette orange de **The Mudtruck** (1), à l'angle de Broadway et de la 14ᵉ Rue pour un café à emporter. Autre option pour petit-déjeuner, **Le Pain Quotidien** (2). Leur café n'est pas inoubliable, choisissez plutôt un de leurs thés. C'est juste à côté d'ABC, la première boutique de cet itinéraire.

7TH AVE

W 16TH ST

W 18TH ST

8

6TH AVE

W 14TH ST

W 17TH ST

W 19TH ST

7

W 20TH ST

W 22ND ST

W 23RD ST

BROADWAY

9

5TH AVE

6

E 26TH ST

E 27TH ST

E 28TH ST

MADISON AVE

4

MADISON SQUARE PARK

5

BROADWAY

3

1

UNION SQUARE

2

PARK AVE SOUTH

E 19TH ST

PARK AVE SOUTH

gramercy

E 13TH ST

E 14TH ST

3RD AVE

ABC Carpet & Home (3) ouvre à 10 h. C'est le temple du textile d'ameublement et du linge de maison. Parmi les marques présentées, j'adore Matteo, un créateur de linge de lit de Los Angeles, et The Society, une compagnie italienne. Matteo propose du linge lavé, avec un effet froissé, très doux, ultra confortable : un vrai régal. The Society utilise des teintures végétales pour réaliser ses draps. Fouillez pour trouver d'autres petits fabricants qui utilisent des fibres naturelles ou la technique du *tie and dye*, comme le fait par exemple Aboubakar Fofana, le designer de la marque Malian Indigo. Prenez votre temps pour explorer les coins et recoins de cet étage dédié au lit et à la salle de bains. On trouve aussi des draps pour enfants ravissants. Allez ensuite au 6e étage, qui héberge le **Madeline Weinrib Atelier** et ses très belles créations de tapis, tissus, coussins et papiers peints.

En montant, jetez au passage un œil à la collection de tapis, le choix est presque écrasant. À retenir : les kilims cousus de Gee's Bend (dont les couvertures sont également réputées) ou les créations de The Reform Project qui décolore des tapis persans ou turcs abîmés et les reteint en monochrome.

L'étape suivante est un peu plus loin sur Broadway. **Wolf Home** (4) propose une large gamme de rideaux en soie prêts à poser, ainsi que des tissus au mètre. L'enseigne, qui a été rebaptisée, s'appelait auparavant The Silk Trading Co.

157

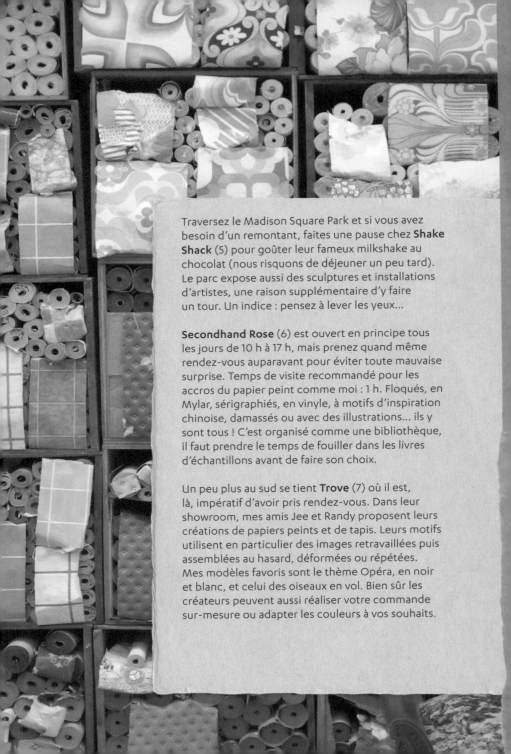

Traversez le Madison Square Park et si vous avez besoin d'un remontant, faites une pause chez **Shake Shack** (5) pour goûter leur fameux milkshake au chocolat (nous risquons de déjeuner un peu tard). Le parc expose aussi des sculptures et installations d'artistes, une raison supplémentaire d'y faire un tour. Un indice : pensez à lever les yeux...

Secondhand Rose (6) est ouvert en principe tous les jours de 10 h à 17 h, mais prenez quand même rendez-vous auparavant pour éviter toute mauvaise surprise. Temps de visite recommandé pour les accros du papier peint comme moi : 1 h. Floqués, en Mylar, sérigraphiés, en vinyle, à motifs d'inspiration chinoise, damassés ou avec des illustrations... ils y sont tous ! C'est organisé comme une bibliothèque, il faut prendre le temps de fouiller dans les livres d'échantillons avant de faire son choix.

Un peu plus au sud se tient **Trove** (7) où il est, là, impératif d'avoir pris rendez-vous. Dans leur showroom, mes amis Jee et Randy proposent leurs créations de papiers peints et de tapis. Leurs motifs utilisent en particulier des images retravaillées puis assemblées au hasard, déformées ou répétées. Mes modèles favoris sont le thème Opéra, en noir et blanc, et celui des oiseaux en vol. Bien sûr les créateurs peuvent aussi réaliser votre commande sur-mesure ou adapter les couleurs à vos souhaits.

Prochain arrêt : **Aronson's Floor Covering** (8).
De quoi rallumer la flamme chez n'importe quel
décorateur blasé du revêtement de sol (et c'est moi
qui dis ça !). Échiquier noir et blanc, jonc de mer
brut, cuir tressé, fibres naturelles, feutre, ainsi que
tous les classiques bien sûr... Le choix réuni ici est
hallucinant.

Anthropologie (9) se tient juste à côté. Sachez
que tout le mobilier de la boutique est en vente
également. Pensez à jeter un œil sur la sélection
soldée, généralement cachée près des cabines
d'essayage. Vous pourrez y piocher des nappes
ou des coussins d'anciennes collections.

Courage, encore une ou deux étapes avant de
déjeuner. Marchez sur quelques *blocks* pour trouver
Area (10). Anki, la propriétaire, est devenue mon
fournisseur officiel en linge de lit et de table depuis
qu'elle a ouvert sa boutique. Mon lit se pare le plus
souvent du modèle Simone avec draps et *quilt*
coordonnés.

Attrapez un taxi et filez chez **Olatz** (11), la boutique
de la très belle ex-femme de Julian Schnabel.
Elle y vend les modèles de pyjamas qu'il a rendus
célèbres en les portant, ainsi qu'une gamme plus
classique, mais de très belle qualité, de linge de lit.

Retour *downtown*, de nouveau en taxi, pour reposer
vos petits pieds (allons, vous n'avez pas tant marché
que ça !) et déjeuner au **Crosby Street Hotel** (12).

Crosby Street Hotel

Cet hôtel aménagé par Kit Kemp nous donne
l'impression de pénétrer dans une maison
particulière. Chaque meuble semble avoir
été choisi avec soin ; chaque œuvre d'art,
sélectionnée par un œil averti. Si vous y logez,
vous aurez en plus accès à la bibliothèque, au
bar ou à l'incroyable patio – avec son mobilier
en *faux bois* – en ciment sculpté. Sinon,
promenez-vous dans le lobby et les quelques
pièces adjacentes, et prenez place au
restaurant pour un déjeuner bien mérité
en admirant la décoration.

79 Crosby St.
NYC 10012
212.226.6400
www.firmdalehotels.com

163

165

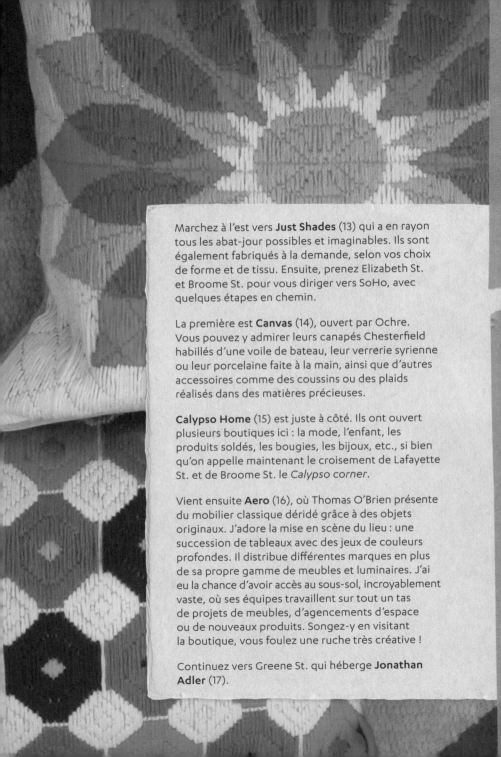

Marchez à l'est vers **Just Shades** (13) qui a en rayon tous les abat-jour possibles et imaginables. Ils sont également fabriqués à la demande, selon vos choix de forme et de tissu. Ensuite, prenez Elizabeth St. et Broome St. pour vous diriger vers SoHo, avec quelques étapes en chemin.

La première est **Canvas** (14), ouvert par Ochre. Vous pouvez y admirer leurs canapés Chesterfield habillés d'une voile de bateau, leur verrerie syrienne ou leur porcelaine faite à la main, ainsi que d'autres accessoires comme des coussins ou des plaids réalisés dans des matières précieuses.

Calypso Home (15) est juste à côté. Ils ont ouvert plusieurs boutiques ici : la mode, l'enfant, les produits soldés, les bougies, les bijoux, etc., si bien qu'on appelle maintenant le croisement de Lafayette St. et de Broome St. le *Calypso corner*.

Vient ensuite **Aero** (16), où Thomas O'Brien présente du mobilier classique déridé grâce à des objets originaux. J'adore la mise en scène du lieu : une succession de tableaux avec des jeux de couleurs profondes. Il distribue différentes marques en plus de sa propre gamme de meubles et luminaires. J'ai eu la chance d'avoir accès au sous-sol, incroyablement vaste, où ses équipes travaillent sur tout un tas de projets de meubles, d'agencements d'espace ou de nouveaux produits. Songez-y en visitant la boutique, vous foulez une ruche très créative !

Continuez vers Greene St. qui héberge **Jonathan Adler** (17).

Jonathan
Adler

Je présente et promeus son travail depuis des années dans des magazines du monde entier : tables en laque, chaises en velours, gammes de céramiques, sofas, coussins en point de croix, vases originaux à cols multiples... J'ai même fait un shooting chez lui. Son mobilier est à des prix très raisonnables et j'adore sa nouvelle gamme de papiers peints, notamment les motifs de nœuds marins, de bambous ou de frises grecques. Il a créé un style qui lui est propre, une ambiance rétro sophistiquée à la Palm Springs qu'il maîtrise parfaitement et à laquelle il ajoute toujours une pointe d'humour et de second degré.

47 Greene St.
NYC 10013
212.941.8950
www.jonathanadler.com

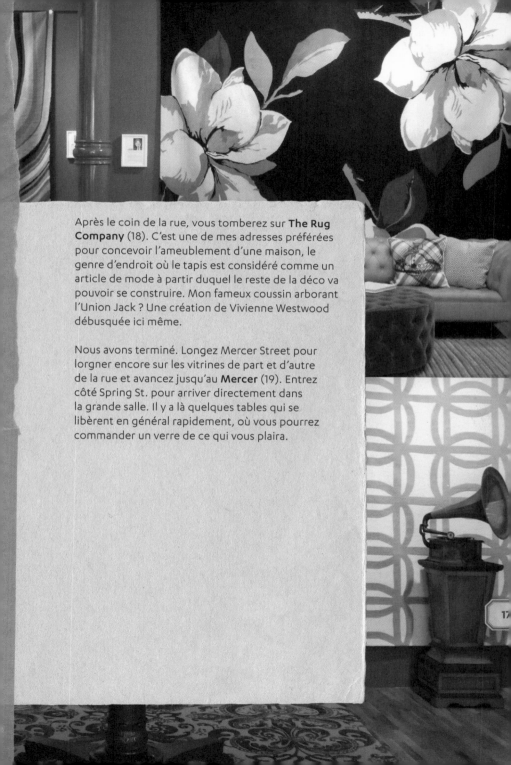

Après le coin de la rue, vous tomberez sur **The Rug Company** (18). C'est une de mes adresses préférées pour concevoir l'ameublement d'une maison, le genre d'endroit où le tapis est considéré comme un article de mode à partir duquel le reste de la déco va pouvoir se construire. Mon fameux coussin arborant l'Union Jack ? Une création de Vivienne Westwood débusquée ici même.

Nous avons terminé. Longez Mercer Street pour lorgner encore sur les vitrines de part et d'autre de la rue et avancez jusqu'au **Mercer** (19). Entrez côté Spring St. pour arriver directement dans la grande salle. Il y a là quelques tables qui se libèrent en général rapidement, où vous pourrez commander un verre de ce qui vous plaira.

déco

art &
oration

173

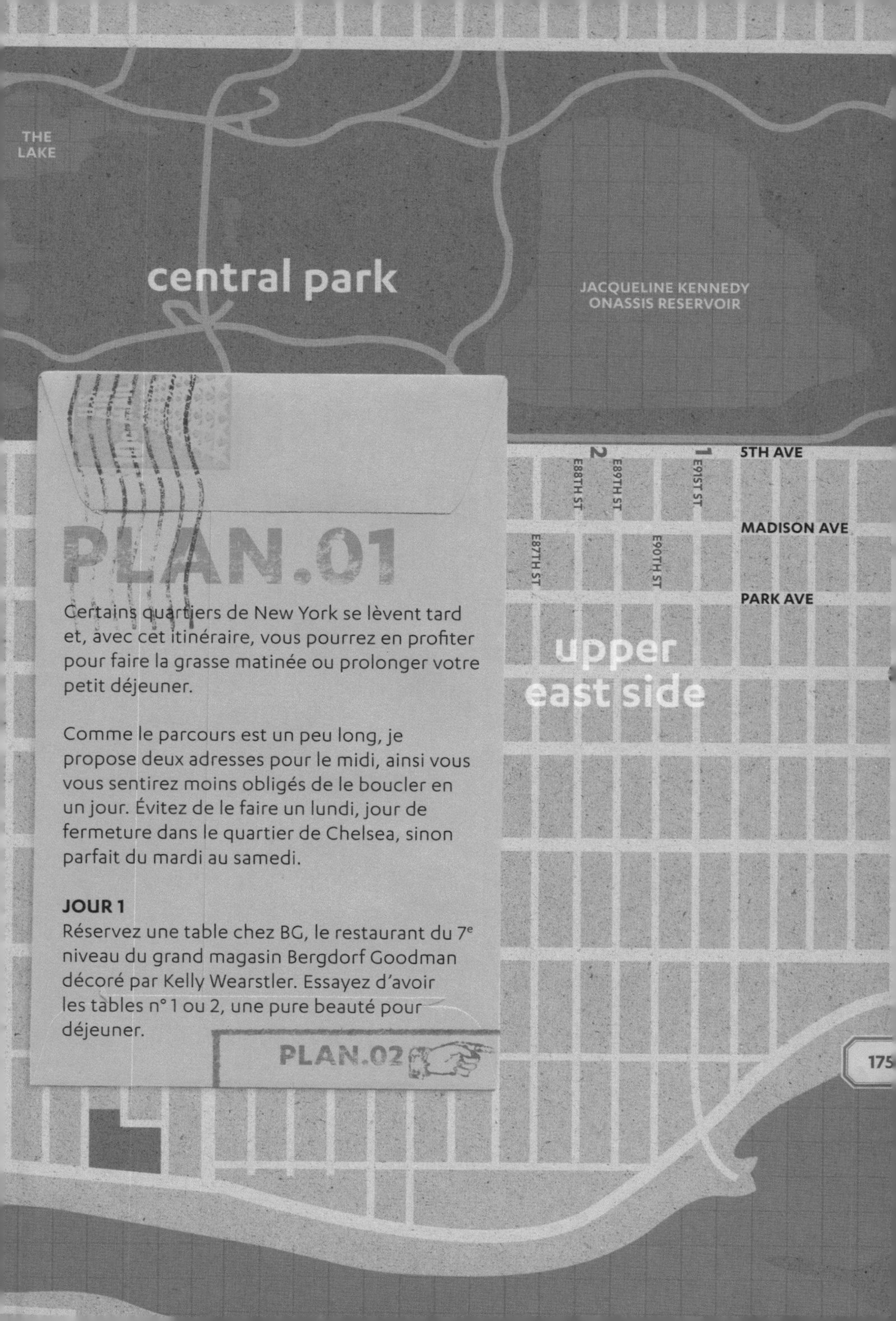

THE
LAKE

central park

JACQUELINE KENNEDY
ONASSIS RESERVOIR

5TH AVE

2 E89TH ST
E88TH ST

1 E91ST ST
E90TH ST

E87TH ST

MADISON AVE

PARK AVE

PLAN.01

Certains quartiers de New York se lèvent tard
et, avec cet itinéraire, vous pourrez en profiter
pour faire la grasse matinée ou prolonger votre
petit déjeuner.

Comme le parcours est un peu long, je
propose deux adresses pour le midi, ainsi vous
vous sentirez moins obligés de le boucler en
un jour. Évitez de le faire un lundi, jour de
fermeture dans le quartier de Chelsea, sinon
parfait du mardi au samedi.

JOUR 1
Réservez une table chez BG, le restaurant du 7^e
niveau du grand magasin Bergdorf Goodman
décoré par Kelly Wearstler. Essayez d'avoir
les tables n° 1 ou 2, une pure beauté pour
déjeuner.

upper
east side

PLAN.02

PLAN.02

hudson river

HOLLAND TUNNEL

west village

GREENWICH ST

HUDSON ST

GREENWICH ST

13

RENWICK ST
SPRING ST

VANDAM ST

$

HUDSON ST

soho

CANAL ST

VARICK ST

$

6TH AVE

$

SULLIVAN ST

THOMPSON ST

$

WASHINGTON SQUARE PARK

BROOME ST

SPRING ST

PRINCE ST

WEST HOUSTON ST

WOOSTER ST

CANAL ST

GREENE ST

GRAND ST

MERCER ST

14

BLEECKER ST

BROADWAY

BROADWAY

CROSBY ST

15

HOWARD ST

LAFAYETTE ST

$

LAFAYETTE ST

$

$

20 21 22

24

25

23

BOWERY

17 16

$

MULBERRY ST

18

19

ELIZABETH ST

$

$

CENTRE ST

DELANCY ST

little italy

MOTT ST

E 1ST ST

E 2ND ST

E 3RD ST

E 4TH ST

E 5TH ST

nolita

EAST HOUSTON ST

BOWERY

$

CHRYSTIE ST

SARA D ROOSEVELT PARK

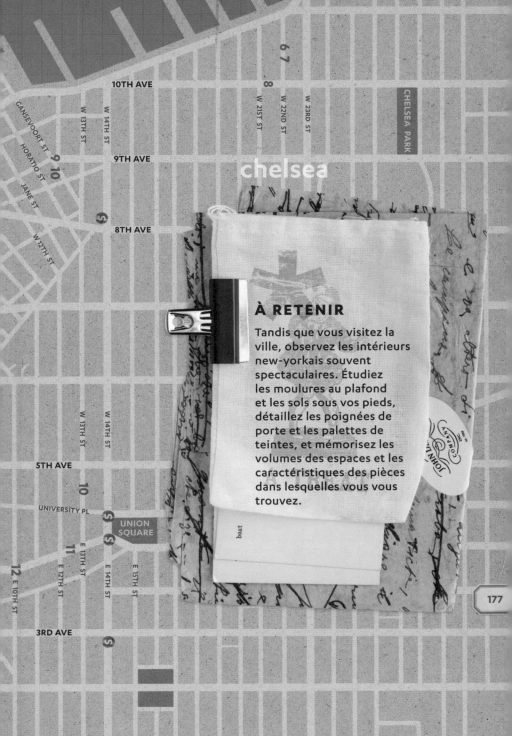

À RETENIR

Tandis que vous visitez la ville, observez les intérieurs new-yorkais souvent spectaculaires. Étudiez les moulures au plafond et les sols sous vos pieds, détaillez les poignées de porte et les palettes de teintes, et mémorisez les volumes des espaces et les caractéristiques des pièces dans lesquelles vous vous trouvez.

chelsea

BG

Il se trouve que le jour de l'ouverture de BG, j'étais
en *propping* (le nouveau terme pour désigner
le stylisme dans l'univers de la décoration) mais
il aurait été impoli de ne pas m'y arrêter. Assise
au magnifique bar en pierre verte surplombant
Central Park, sirotant avec délice le champagne
rosé que m'avait apporté le plus charmant
des serveurs, j'ai ainsi pu admirer la dernière
réalisation de Kelly Wearstler. Nous étions
en milieu d'après-midi et cela reste un
de mes instants les plus précieux à New York.

Bergdorf Goodman
754 5th Ave 7ᵉ niveau
NYC 10019
212.872.8977

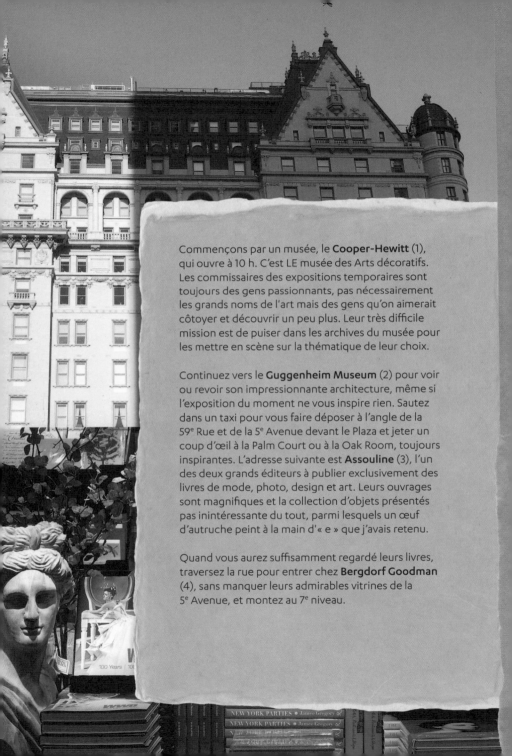

Commençons par un musée, le **Cooper-Hewitt** (1), qui ouvre à 10 h. C'est LE musée des Arts décoratifs. Les commissaires des expositions temporaires sont toujours des gens passionnants, pas nécessairement les grands noms de l'art mais des gens qu'on aimerait côtoyer et découvrir un peu plus. Leur très difficile mission est de puiser dans les archives du musée pour les mettre en scène sur la thématique de leur choix.

Continuez vers le **Guggenheim Museum** (2) pour voir ou revoir son impressionnante architecture, même si l'exposition du moment ne vous inspire rien. Sautez dans un taxi pour vous faire déposer à l'angle de la 59ᵉ Rue et de la 5ᵉ Avenue devant le Plaza et jeter un coup d'œil à la Palm Court ou à la Oak Room, toujours inspirantes. L'adresse suivante est **Assouline** (3), l'un des deux grands éditeurs à publier exclusivement des livres de mode, photo, design et art. Leurs ouvrages sont magnifiques et la collection d'objets présentés pas inintéressante du tout, parmi lesquels un œuf d'autruche peint à la main d'« e » que j'avais retenu.

Quand vous aurez suffisamment regardé leurs livres, traversez la rue pour entrer chez **Bergdorf Goodman** (4), sans manquer leurs admirables vitrines de la 5ᵉ Avenue, et montez au 7ᵉ niveau.

Bergdorf Goodman

Ce grand magasin a tous les classiques des arts de la table : vaisselle, argenterie, verres à pied, gobelets (j'ai l'impression de rédiger une liste de mariage). Ils proposent les grandes marques mais aussi du vintage, de la porcelaine française et des équipements de cuisine sophistiqués, du verre soufflé ou du verre de Murano, des bougies parfumées... La liste est longue : *decoupage*, livres, papeterie, sucres à motifs, boîtes à bonbons, objets conçus par Kelly Wearstler pour BG... Bref tout ce dont vous aurez besoin pour votre retraite au soleil, vos week-ends sur la côte, votre grande maison de campagne ou votre appartement chic en ville. Prévoyez donc le temps suffisant pour traverser tout cela avant d'atteindre sain et sauf votre table réservée chez BG.

754 5th Ave
NYC 10019
212.753.7300
www.bergdorfgoodman.com

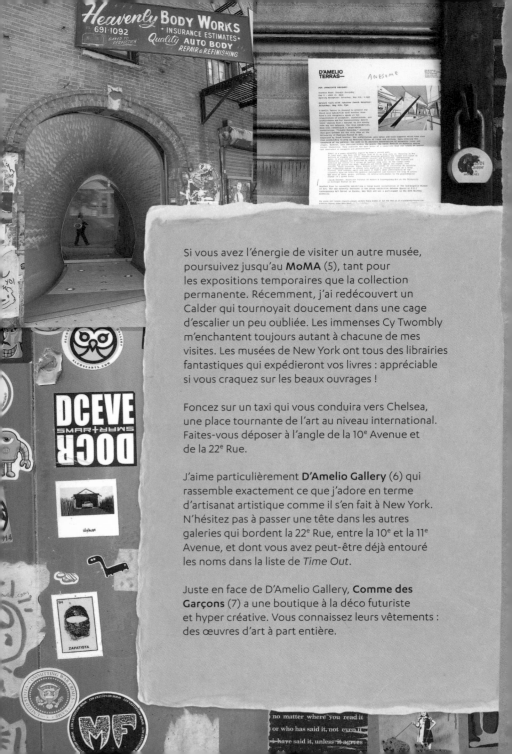

Si vous avez l'énergie de visiter un autre musée, poursuivez jusqu'au **MoMA** (5), tant pour les expositions temporaires que la collection permanente. Récemment, j'ai redécouvert un Calder qui tournoyait doucement dans une cage d'escalier un peu oubliée. Les immenses Cy Twombly m'enchantent toujours autant à chacune de mes visites. Les musées de New York ont tous des librairies fantastiques qui expédieront vos livres : appréciable si vous craquez sur les beaux ouvrages !

Foncez sur un taxi qui vous conduira vers Chelsea, une place tournante de l'art au niveau international. Faites-vous déposer à l'angle de la 10e Avenue et de la 22e Rue.

J'aime particulièrement **D'Amelio Gallery** (6) qui rassemble exactement ce que j'adore en terme d'artisanat artistique comme il s'en fait à New York. N'hésitez pas à passer une tête dans les autres galeries qui bordent la 22e Rue, entre la 10e et la 11e Avenue, et dont vous avez peut-être déjà entouré les noms dans la liste de *Time Out*.

Juste en face de D'Amelio Gallery, **Comme des Garçons** (7) a une boutique à la déco futuriste et hyper créative. Vous connaissez leurs vêtements : des œuvres d'art à part entière.

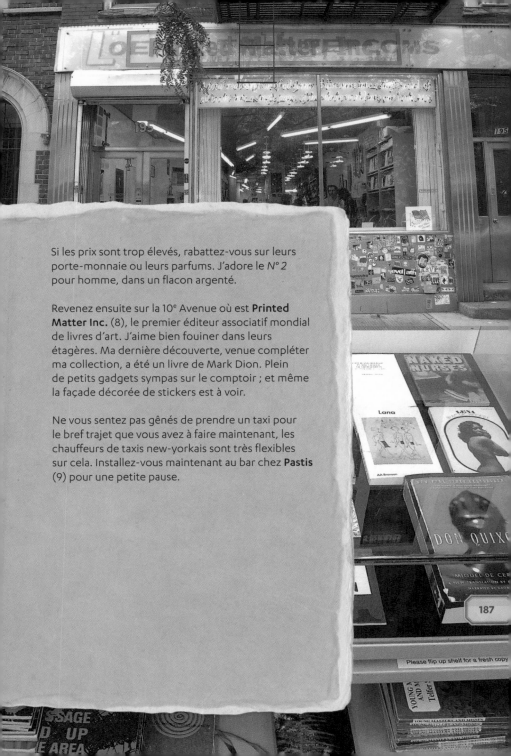

Si les prix sont trop élevés, rabattez-vous sur leurs porte-monnaie ou leurs parfums. J'adore le *N° 2* pour homme, dans un flacon argenté.

Revenez ensuite sur la 10e Avenue où est **Printed Matter Inc.** (8), le premier éditeur associatif mondial de livres d'art. J'aime bien fouiner dans leurs étagères. Ma dernière découverte, venue compléter ma collection, a été un livre de Mark Dion. Plein de petits gadgets sympas sur le comptoir ; et même la façade décorée de stickers est à voir.

Ne vous sentez pas gênés de prendre un taxi pour le bref trajet que vous avez à faire maintenant, les chauffeurs de taxis new-yorkais sont très flexibles sur cela. Installez-vous maintenant au bar chez **Pastis** (9) pour une petite pause.

JOUR 2

Après une nuit de repos, reprenez là où vous aviez arrêté, nous resterons *downtown* pour la suite de cet itinéraire. Prenez un café à emporter à l'adresse locale de **Joe** (10) et longez Broadway jusqu'à **Strand Bookstore** (11) qui ouvre à 9 h 30.
Je monte directement à l'étage pour aller au rayon des livres d'art, de design, de photo et de voyage. Ils ont également une salle réservée aux livres anciens et rares.

En descendant Broadway, vous croiserez **Broadway Windows** (12) qui fait l'angle avec la 13e Rue. Pas de porte mais c'est toujours ouvert... C'est en fait une série de grandes baies vitrées régulièrement offertes à de nouveaux artistes qui y créent des installations.

Prenez un taxi pour continuer sur Broadway jusqu'à **Wyeth** (13), sur rendez-vous seulement. Vous serez au paradis si vous aimez les objets d'art et le mobilier d'origine. Sélection vraiment fabuleuse. Ce paradis a un prix, à la hauteur des pièces rares et vintage qui sont exposées.

Continuez sur Spring St. qui vous conduira ensuite dans SoHo. Faites un arrêt chez **Taschen** (14), compagnon d'Assouline au panthéon des éditeurs, qui domine le marché des livres d'art, de design, d'architecture, de mode et de photo.

Repassez Broadway vers Nolita. Au bout de Crosby St. se trouve **Amaridian** (15). Spécialisés dans les objets d'Afrique du Sud, ils ont de très belles créations : pierres en feutre, boîtes de feuilles en porcelaine, jetés de canapé en indigo, lampes et sculptures incroyables, etc.

Allez voir ensuite **Clic Bookstore & Gallery** (16), une nouvelle venue parmi les galeries de Broome St. Superbes expos photo et une très belle librairie spécialisée. Moi qui suis fan de beaux livres, je ne repars jamais les mains vides.

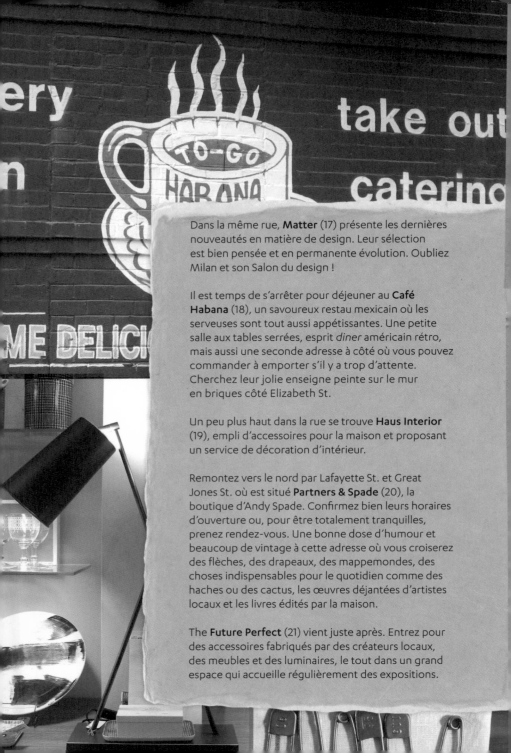

Dans la même rue, **Matter** (17) présente les dernières nouveautés en matière de design. Leur sélection est bien pensée et en permanente évolution. Oubliez Milan et son Salon du design !

Il est temps de s'arrêter pour déjeuner au **Café Habana** (18), un savoureux restau mexicain où les serveuses sont tout aussi appétissantes. Une petite salle aux tables serrées, esprit *diner* américain rétro, mais aussi une seconde adresse à côté où vous pouvez commander à emporter s'il y a trop d'attente. Cherchez leur jolie enseigne peinte sur le mur en briques côté Elizabeth St.

Un peu plus haut dans la rue se trouve **Haus Interior** (19), empli d'accessoires pour la maison et proposant un service de décoration d'intérieur.

Remontez vers le nord par Lafayette St. et Great Jones St. où est situé **Partners & Spade** (20), la boutique d'Andy Spade. Confirmez bien leurs horaires d'ouverture ou, pour être totalement tranquilles, prenez rendez-vous. Une bonne dose d'humour et beaucoup de vintage à cette adresse où vous croiserez des flèches, des drapeaux, des mappemondes, des choses indispensables pour le quotidien comme des haches ou des cactus, les œuvres déjantées d'artistes locaux et les livres édités par la maison.

The **Future Perfect** (21) vient juste après. Entrez pour des accessoires fabriqués par des créateurs locaux, des meubles et des luminaires, le tout dans un grand espace qui accueille régulièrement des expositions.

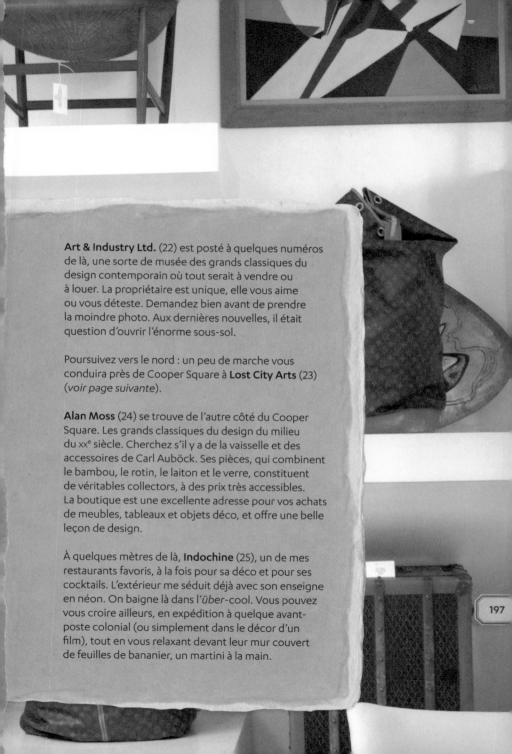

Art & Industry Ltd. (22) est posté à quelques numéros de là, une sorte de musée des grands classiques du design contemporain où tout serait à vendre ou à louer. La propriétaire est unique, elle vous aime ou vous déteste. Demandez bien avant de prendre la moindre photo. Aux dernières nouvelles, il était question d'ouvrir l'énorme sous-sol.

Poursuivez vers le nord : un peu de marche vous conduira près de Cooper Square à **Lost City Arts** (23) (*voir page suivante*).

Alan Moss (24) se trouve de l'autre côté du Cooper Square. Les grands classiques du design du milieu du xxᵉ siècle. Cherchez s'il y a de la vaisselle et des accessoires de Carl Auböck. Ses pièces, qui combinent le bambou, le rotin, le laiton et le verre, constituent de véritables collectors, à des prix très accessibles. La boutique est une excellente adresse pour vos achats de meubles, tableaux et objets déco, et offre une belle leçon de design.

À quelques mètres de là, **Indochine** (25), un de mes restaurants favoris, à la fois pour sa déco et pour ses cocktails. L'extérieur me séduit déjà avec son enseigne en néon. On baigne là dans l'*über*-cool. Vous pouvez vous croire ailleurs, en expédition à quelque avant-poste colonial (ou simplement dans le décor d'un film), tout en vous relaxant devant leur mur couvert de feuilles de bananier, un martini à la main.

Lost
City
Arts

Éditions originales d'Arne Jacobsen, Calder, Hans
Wegner, Bertoia, Knoll et consorts. Des pièces qui
se suffisent à elles-mêmes ou que vous intégrerez
dans votre collection de design. Si le mobilier est
trop inaccessible, consolez-vous avec leurs œuvres
à mettre au mur, mobiles et objets déco. Jim,
le propriétaire, est un immense fan de Bertoia
dont il présente les magnifiques et peu connues
sculptures d'extérieur « chantantes », bien
différentes de la fameuse chaise en acier que
nous connaissons et admirons tous. Le son émis
par ces sculptures va de celui d'un gong géant
à celui de l'herbe froissée ; on croirait entendre
des sirènes.

18 Cooper Square
NYC 10003
212.375.0500
www.lostcityarts.com

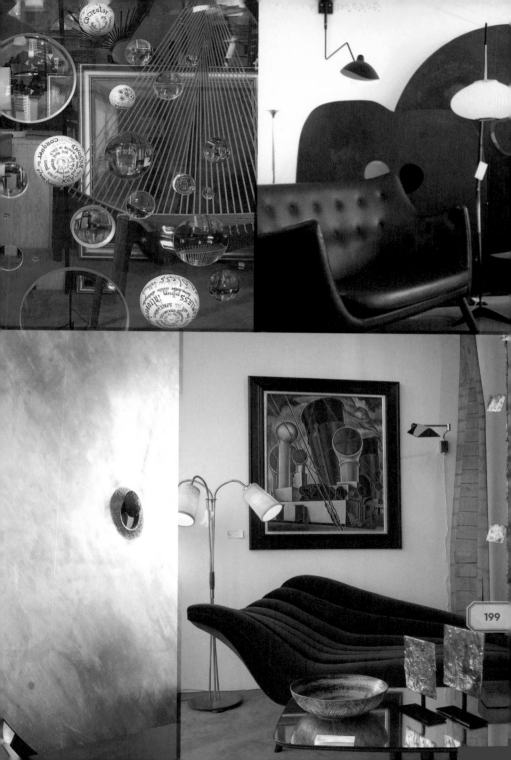

pape
four

terie &

nitures

d'art

201

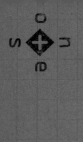

hudson river

HUDSON ST

7TH AVE

GREENWICH ST

CHARLTON ST

15

VANDAM ST

6TH AVE

CANAL ST

VARICK ST

SULLIVAN ST

tribeca

THOMPSON ST

W BROADWAY

WORTH ST

LEONARD ST

FRANKLIN ST

1

WOOSTER ST

BROOME ST

16

SPRING ST

soho

WEST HOUSTON ST

BLEECKER ST

CHURCH ST

GREENE ST

4

PRINCE ST

WHITE ST

3

MERCER ST

17

23

2

BROADWAY

18

GRAND ST

BROADWAY

19

21

22

LAFAYETTE ST

CROSBY ST

HOWARD ST

20

LAFAYETTE ST

little

LAFAYETTE ST

MULBERRY ST

PRINCE ST

MOTT ST

italy

CANAL ST

SPRING ST

nolita

2ND AVE

SARA D ROOSEVELT PARK

1ST AVE

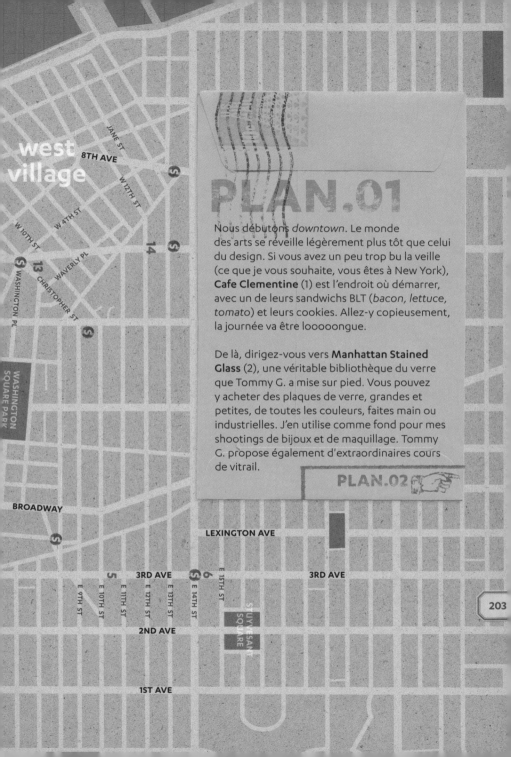

west village

JANE ST
8TH AVE
W 12TH ST
W 4TH ST
W 10TH ST
WAVERLY PL
CHRISTOPHER ST
W 4TH ST
WASHINGTON PL

14

13

WASHINGTON SQUARE PARK

BROADWAY

LEXINGTON AVE

3RD AVE

3RD AVE

E 15TH ST
E 14TH ST
E 13TH ST
E 12TH ST
E 11TH ST
E 10TH ST
E 9TH ST

5

6

STUYVESANT SQUARE

2ND AVE

1ST AVE

PLAN.01

Nous débutons *downtown*. Le monde des arts se réveille légèrement plus tôt que celui du design. Si vous avez un peu trop bu la veille (ce que je vous souhaite, vous êtes à New York), **Cafe Clementine** (1) est l'endroit où démarrer, avec un de leurs sandwichs BLT (*bacon, lettuce, tomato*) et leurs cookies. Allez-y copieusement, la journée va être looooongue.

De là, dirigez-vous vers **Manhattan Stained Glass** (2), une véritable bibliothèque du verre que Tommy G. a mise sur pied. Vous pouvez y acheter des plaques de verre, grandes et petites, de toutes les couleurs, faites main ou industrielles. J'en utilise comme fond pour mes shootings de bijoux et de maquillage. Tommy G. propose également d'extraordinaires cours de vitrail.

PLAN.02

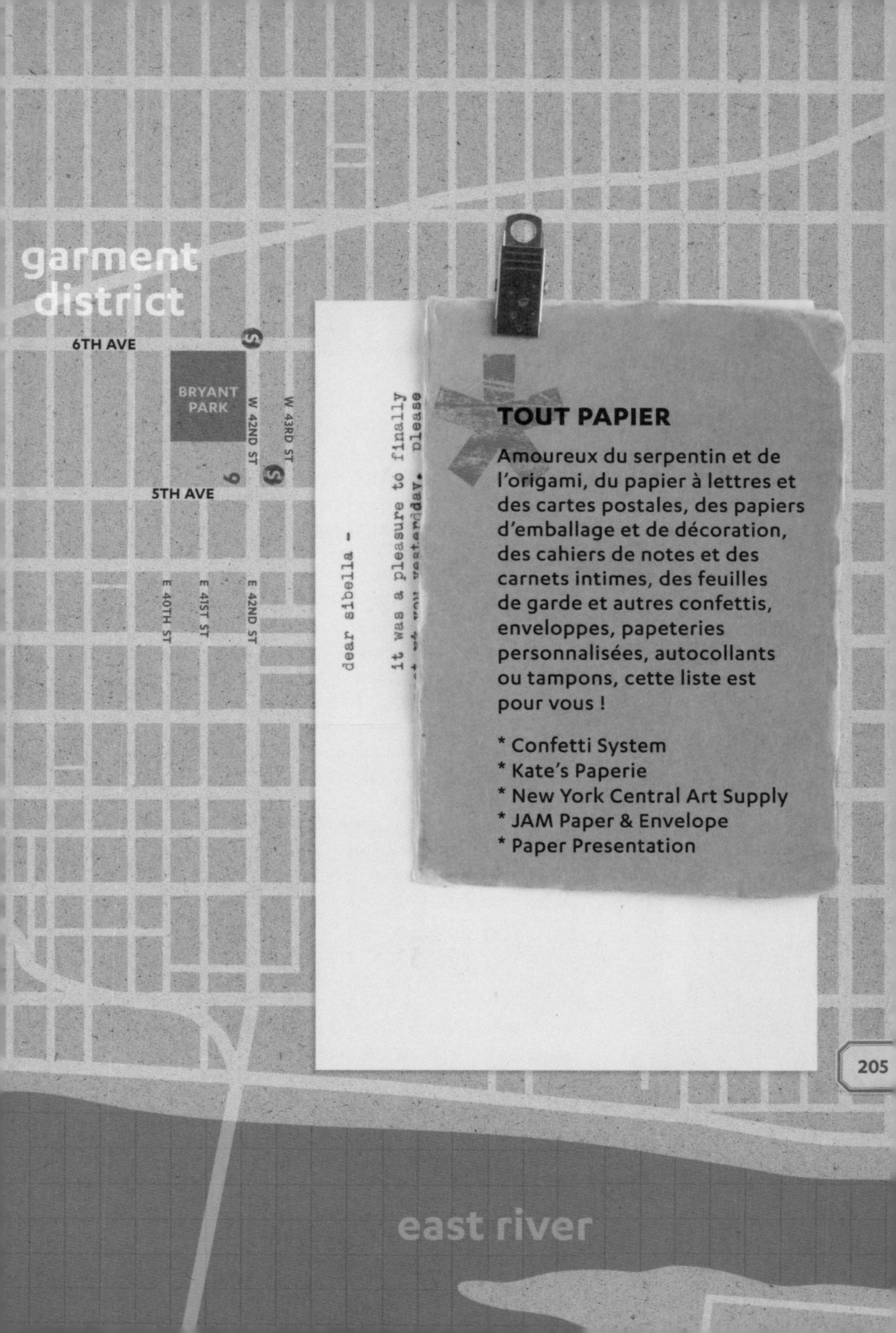

6TH AVE

BRYANT
PARK

W 42ND ST

W 43RD ST

5TH AVE

9

E 42ND ST

E 41ST ST

E 40TH ST

dear sibella –

it was a pleasure to finally
at me you yesterday. please

TOUT PAPIER

Amoureux du serpentin et de l'origami, du papier à lettres et des cartes postales, des papiers d'emballage et de décoration, des cahiers de notes et des carnets intimes, des feuilles de garde et autres confettis, enveloppes, papeteries personnalisées, autocollants ou tampons, cette liste est pour vous !

* Confetti System
* Kate's Paperie
* New York Central Art Supply
* JAM Paper & Envelope
* Paper Presentation

Remontez la rue jusqu'à **Pearl Paint** (3), la référence absolue pour les fournitures d'art sur cinq niveaux, à parcourir de haut en bas (cherchez l'ascenseur au fond du magasin). Ils ont également une adresse spécialisée pour la peinture et les projets artisanaux sur Lispenard St.

Également sur Canal St., **Canal Plastics Center** (4) se fera un plaisir de créer toutes les formes que vous souhaitez en plexi, dans des délais très brefs. Ils vendent également plein de formes déjà prêtes : papillon, tête de mort, licorne, bateau à voile... J'y fais faire des éléments dont j'ai besoin pour mes shootings depuis des années et leur gamme de couleurs est très complète.

Attrapez un taxi pour arriver au prochain magasin, un de mes chouchous : **New York Central Art Supply** (5). Montez directement au 2ᵉ niveau au rayon « papier ». Prenez un crayon et une feuille au comptoir pour y noter les références des papiers que vous souhaitez et dont les échantillons sont présentés sur les murs. Quand vous avez terminé, donnez votre liste à un gentil vendeur qui disparaîtra dans la grande réserve des papiers pour en rapporter les merveilles que vous avez sélectionnées.

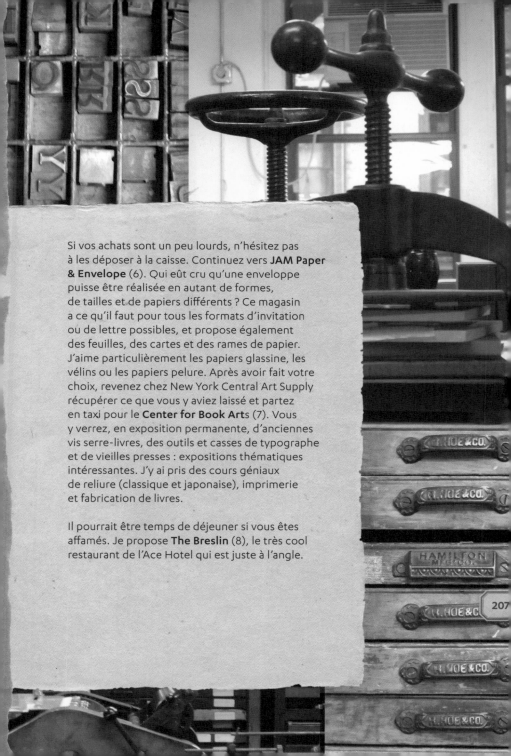

Si vos achats sont un peu lourds, n'hésitez pas
à les déposer à la caisse. Continuez vers **JAM Paper
& Envelope** (6). Qui eût cru qu'une enveloppe
puisse être réalisée en autant de formes,
de tailles et de papiers différents ? Ce magasin
a ce qu'il faut pour tous les formats d'invitation
ou de lettre possibles, et propose également
des feuilles, des cartes et des rames de papier.
J'aime particulièrement les papiers glassine, les
vélins ou les papiers pelure. Après avoir fait votre
choix, revenez chez New York Central Art Supply
récupérer ce que vous y aviez laissé et partez
en taxi pour le **Center for Book Art**s (7). Vous
y verrez, en exposition permanente, d'anciennes
vis serre-livres, des outils et casses de typographe
et de vieilles presses : expositions thématiques
intéressantes. J'y ai pris des cours géniaux
de reliure (classique et japonaise), imprimerie
et fabrication de livres.

Il pourrait être temps de déjeuner si vous êtes
affamés. Je propose **The Breslin** (8), le très cool
restaurant de l'Ace Hotel qui est juste à l'angle.

EVERY **EXIT** IS AN
ENTRANCE SOMEWHERE ELSE

The **BRESLIN**

Fire Hose

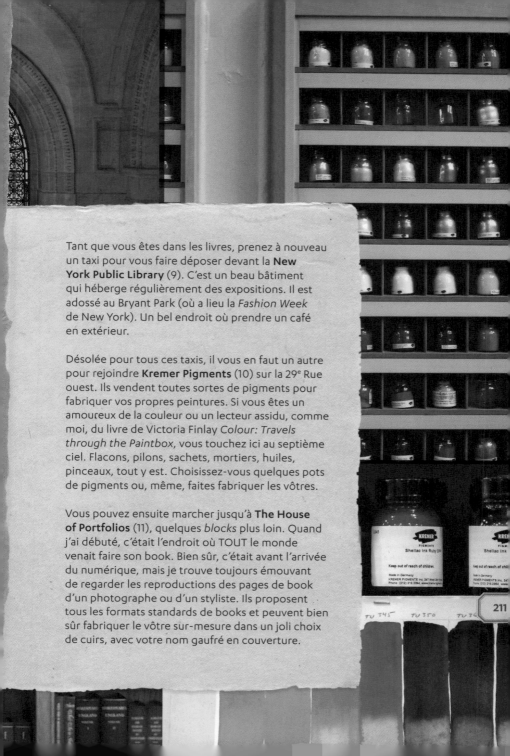

Tant que vous êtes dans les livres, prenez à nouveau un taxi pour vous faire déposer devant la **New York Public Library** (9). C'est un beau bâtiment qui héberge régulièrement des expositions. Il est adossé au Bryant Park (où a lieu la *Fashion Week* de New York). Un bel endroit où prendre un café en extérieur.

Désolée pour tous ces taxis, il vous en faut un autre pour rejoindre **Kremer Pigments** (10) sur la 29ᵉ Rue ouest. Ils vendent toutes sortes de pigments pour fabriquer vos propres peintures. Si vous êtes un amoureux de la couleur ou un lecteur assidu, comme moi, du livre de Victoria Finlay *Colour: Travels through the Paintbox*, vous touchez ici au septième ciel. Flacons, pilons, sachets, mortiers, huiles, pinceaux, tout y est. Choisissez-vous quelques pots de pigments ou, même, faites fabriquer les vôtres.

Vous pouvez ensuite marcher jusqu'à **The House of Portfolios** (11), quelques *blocks* plus loin. Quand j'ai débuté, c'était l'endroit où TOUT le monde venait faire son book. Bien sûr, c'était avant l'arrivée du numérique, mais je trouve toujours émouvant de regarder les reproductions des pages de book d'un photographe ou d'un styliste. Ils proposent tous les formats standards de books et peuvent bien sûr fabriquer le vôtre sur-mesure dans un joli choix de cuirs, avec votre nom gaufré en couverture.

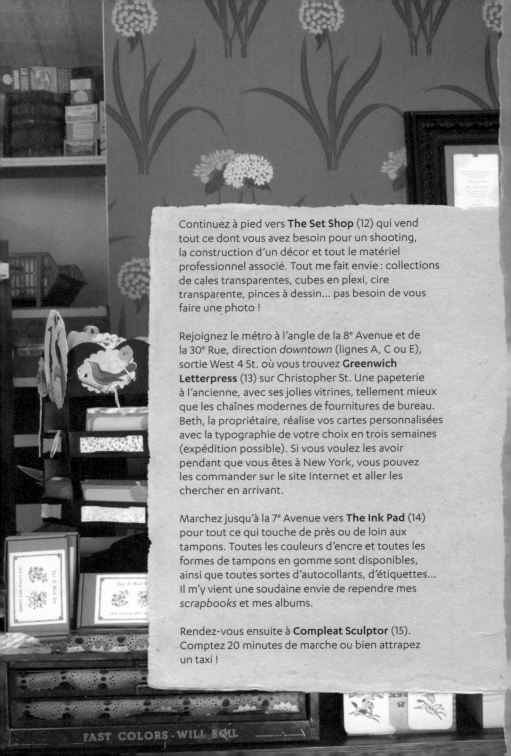

Continuez à pied vers **The Set Shop** (12) qui vend tout ce dont vous avez besoin pour un shooting, la construction d'un décor et tout le matériel professionnel associé. Tout me fait envie : collections de cales transparentes, cubes en plexi, cire transparente, pinces à dessin... pas besoin de vous faire une photo !

Rejoignez le métro à l'angle de la 8e Avenue et de la 30e Rue, direction *downtown* (lignes A, C ou E), sortie West 4 St. où vous trouvez **Greenwich Letterpress** (13) sur Christopher St. Une papeterie à l'ancienne, avec ses jolies vitrines, tellement mieux que les chaînes modernes de fournitures de bureau. Beth, la propriétaire, réalise vos cartes personnalisées avec la typographie de votre choix en trois semaines (expédition possible). Si vous voulez les avoir pendant que vous êtes à New York, vous pouvez les commander sur le site Internet et aller les chercher en arrivant.

Marchez jusqu'à la 7e Avenue vers **The Ink Pad** (14) pour tout ce qui touche de près ou de loin aux tampons. Toutes les couleurs d'encre et toutes les formes de tampons en gomme sont disponibles, ainsi que toutes sortes d'autocollants, d'étiquettes... Il m'y vient une soudaine envie de rependre mes *scrapbooks* et mes albums.

Rendez-vous ensuite à **Compleat Sculptor** (15). Comptez 20 minutes de marche ou bien attrapez un taxi !

Compleat Sculptor

Tous les outils de sculpture et de gravure possibles et imaginables, mais aussi des pièces de bois brut, pierres à tailler, etc. Passez les argiles et les cires de moulage, avancez vers le fond du magasin, traversez les grands rideaux en plastique et descendez au sous-sol. Vous allez tomber des nues : on se croirait dans une carrière de pierre. J'adore ! Les vendeurs vous guideront, et le panneau d'affichage à l'entrée fourmille de bonnes adresses pour prendre des cours, trouver des artistes ou dénicher des fournisseurs.

90 Vandam St.
NYC 10013
212.243.6074
www.sculpt.com

Anthropologie

Une très bonne sélection de livres récents, tous ceux à avoir absolument dans votre bibliothèque. L'attention portée aux détails y est incroyable, notamment dans la présentation des produits et la décoration du lieu. Ils peuvent par exemple créer des mises en scène assez féeriques juste avec des papiers assemblés et cousus, moulés ou transformés.

375 West Broadway
NYC 10012
212.343.7070
www.anthropologie.com

219

En ressortant d'**Anthropologie** (16), allez chez **Kate Spade** (17). Tout le monde n'aime pas ses créations très colorées, mais j'y vais aussi pour les livres anciens disposés à travers la boutique. J'apprécie quand les grandes marques continuent d'avoir une touche personnelle, où l'on sent que les objets ont été sélectionnés individuellement. Leur gamme de papeterie est tout simplement ravissante, elle me fait regretter l'époque où l'on envoyait des remerciements écrits.

Muji (18) est juste à côté, pour les pochettes en plastique, les Post-it en papier matière, les bloc-notes reliés bruns, les mini-règles, les agendas perpétuels, les jeux de cartes et les stylos juste parfaits. Vous n'en aurez jamais assez.

Chez **Kate's Paperie** (19), vous trouverez des feuilles d'emballage cadeau à l'unité, toutes sortes de cartes et d'invitations, des fournitures d'art, des tampons en gomme, des stylos et des crayons de couleur, des punaises... Je ne m'en lasse jamais. Ils proposent un service de personnalisation pour les cartes et les invitations.

J'adore aller chez **McNally Jackson** (20), une petite librairie indépendante, une espèce en voie de disparition à New York. Soutenez-les, elles ont une politique active de sélection de bons livres, diffusent les informations du quartier, vendent des cartes et tiennent souvent un coin café !

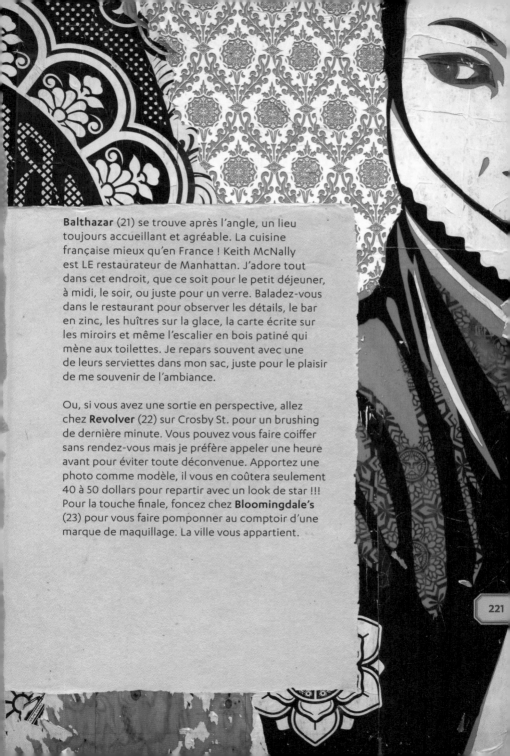

Balthazar (21) se trouve après l'angle, un lieu toujours accueillant et agréable. La cuisine française mieux qu'en France ! Keith McNally est LE restaurateur de Manhattan. J'adore tout dans cet endroit, que ce soit pour le petit déjeuner, à midi, le soir, ou juste pour un verre. Baladez-vous dans le restaurant pour observer les détails, le bar en zinc, les huîtres sur la glace, la carte écrite sur les miroirs et même l'escalier en bois patiné qui mène aux toilettes. Je repars souvent avec une de leurs serviettes dans mon sac, juste pour le plaisir de me souvenir de l'ambiance.

Ou, si vous avez une sortie en perspective, allez chez **Revolver** (22) sur Crosby St. pour un brushing de dernière minute. Vous pouvez vous faire coiffer sans rendez-vous mais je préfère appeler une heure avant pour éviter toute déconvenue. Apportez une photo comme modèle, il vous en coûtera seulement 40 à 50 dollars pour repartir avec un look de star !!! Pour la touche finale, foncez chez **Bloomingdale's** (23) pour vous faire pomponner au comptoir d'une marque de maquillage. La ville vous appartient.

cuisine
arts de
la table

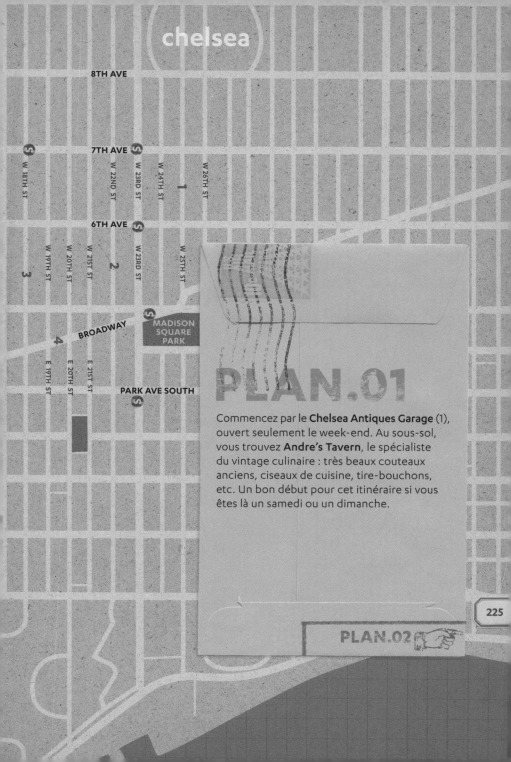

8TH AVE

7TH AVE

W 18TH ST

W 22ND ST

W 23RD ST

W 24TH ST

W 26TH ST

1

6TH AVE

W 19TH ST

W 20TH ST

W 21ST ST

W 23RD ST

W 25TH ST

2

3

BROADWAY

MADISON
SQUARE
PARK

E 19TH ST

E 20TH ST

E 21ST ST

4

PARK AVE SOUTH

PLAN.01

Commencez par le **Chelsea Antiques Garage** (1),
ouvert seulement le week-end. Au sous-sol,
vous trouvez **Andre's Tavern**, le spécialiste
du vintage culinaire : très beaux couteaux
anciens, ciseaux de cuisine, tire-bouchons,
etc. Un bon début pour cet itinéraire si vous
êtes là un samedi ou un dimanche.

225

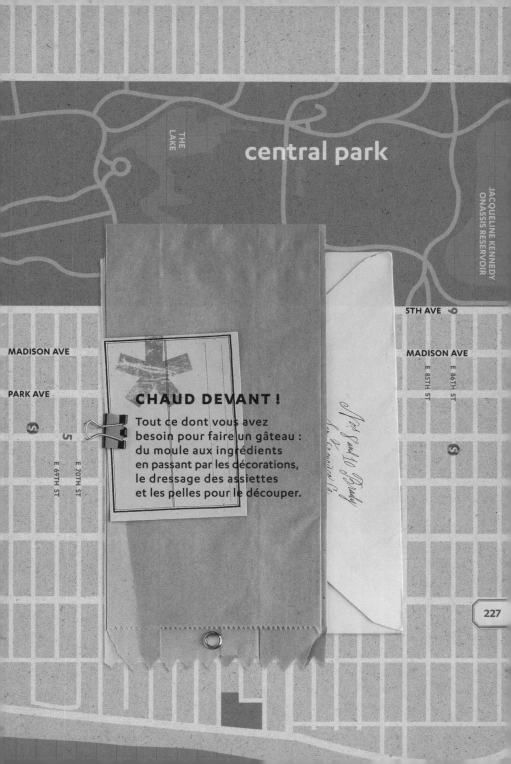

central park

THE LAKE

JACQUELINE KENNEDY ONASSIS RESERVOIR

5TH AVE

MADISON AVE

MADISON AVE

PARK AVE

E 86TH ST

E 85TH ST

E 70TH ST

E 69TH ST

CHAUD DEVANT !

Tout ce dont vous avez besoin pour faire un gâteau : du moule aux ingrédients en passant par les décorations, le dressage des assiettes et les pelles pour le découper.

Suivez la 6ᵉ Avenue puis la 22ᵉ Rue jusqu'au **New York Cake and Baking Distributor** (2). Moules à gâteau, emporte-pièces de toutes formes et tailles possibles, décorations comestibles (violettes, roses, pensées, etc.), dragées par centaines, poudres, bougies miniatures... ainsi que toute la petite déco dont les enfants raffolent et qui rendra leurs fêtes inoubliables. Ma mère a toujours créé des gâteaux uniques pour mes anniversaires ; je garde notamment le souvenir d'un extraordinaire gâteau piscine en gelée bleue...

Quelques *blocks* plus au sud se trouve **City Bakery** (3) qui concocte un menu fabuleux avec des produits frais du marché. Passez-y pour le café, les pâtisseries, le petit déjeuner, le chocolat chaud et tout le reste. Self-service.

Suivez la 18ᵉ Rue jusqu'à Broadway où se trouve **Fishs Eddy** (4), fournisseur de vaisselle pour hôtels : assiettes avec motifs, services blancs ultra résistants, coquetiers, pots à lait, couverts... Large gamme de services de table, du plus basique au plus richement orné, disponibles dans des quantités pharaoniques (parfait si vous avez invité cent personnes à dîner ce soir sans penser que vous n'aviez que huit assiettes !).

Descendez jusqu'à la station Union Square en traversant l'Union Square Greenmarket où se tient un marché de produits frais. Prenez la ligne verte (4, 5 ou 6) direction *uptown* jusqu'à l'arrêt 68 St. Hunter College, et entrez chez **Sara** (5).

Sara

J'ai acheté tellement de choses ici... J'y vais pour les bols minimalistes, les tasses couleur crème ou marron et leurs incroyables plats aux formes organiques. De nouveaux modèles arrivent régulièrement en magasin. Le propriétaire expose également des artistes céramistes japonais. Prenez votre temps, on peut passer des minutes entières à détailler certaines pièces. Ce lieu est une initiation : désormais, vous ne pourrez plus jamais boire dans un mug industriel sans âme. Même l'emballage de vos achats est un comble de raffinement (j'ai acheté quelque chose une fois que je n'ai jamais osé déballer.)

950 Lexington Ave
NYC 10021
212.772.3243
www.saranyc.com

Allez ensuite au **Dylan's Candy Bar** (6), ouvert par la fille de Ralph Lauren. Un écho délicieux aux sols couverts de sucreries que foule Charlie dans la grande chocolaterie... La boutique déborde de bonbons de tous les types, issus de confiseries américaines mais aussi importés du monde entier. On sent une bonne odeur de sucre dans tout le quartier. Au sous-sol, vous trouverez des distributeurs de M&M'S® stockés par couleur où l'on peut se servir en vrac.

De là, cheminez vers le temple du minimalisme qu'est la boutique **Calvin Klein** (7), pour trouver, dans un sous-sol en ciment lissé meublé d'étagères fluides, les collections pour la maison du créateur. Vaisselle, linge de lit ou de toilette, tout est cher et beau. Parfait pour les heureux propriétaires de très grands lofts.

Vous pouvez vous accorder un moment à la *Breakfast at Tiffany's*. Je ne sais pas pour vous, mais j'adore ce film et j'y pense à chaque fois que j'entre chez **Tiffany & Co.** (8). Le rez-de-chaussée est bondé, je monte directement dans les étages.

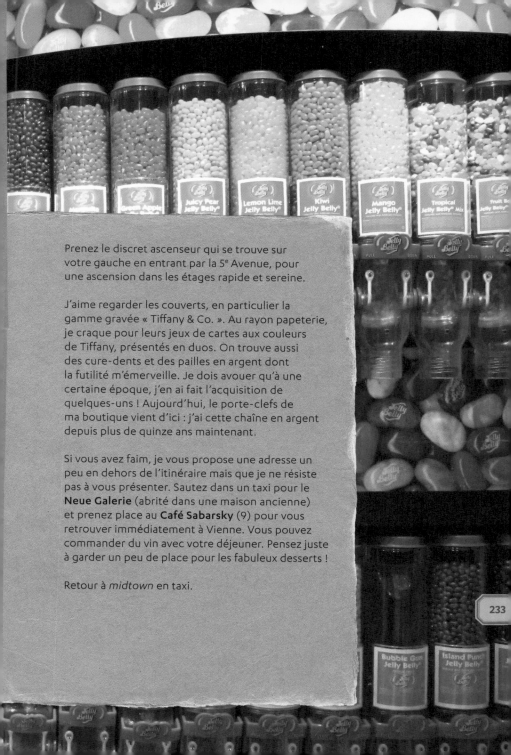

Prenez le discret ascenseur qui se trouve sur votre gauche en entrant par la 5ᵉ Avenue, pour une ascension dans les étages rapide et sereine.

J'aime regarder les couverts, en particulier la gamme gravée « Tiffany & Co. ». Au rayon papeterie, je craque pour leurs jeux de cartes aux couleurs de Tiffany, présentés en duos. On trouve aussi des cure-dents et des pailles en argent dont la futilité m'émerveille. Je dois avouer qu'à une certaine époque, j'en ai fait l'acquisition de quelques-uns ! Aujourd'hui, le porte-clefs de ma boutique vient d'ici : j'ai cette chaîne en argent depuis plus de quinze ans maintenant.

Si vous avez faim, je vous propose une adresse un peu en dehors de l'itinéraire mais que je ne résiste pas à vous présenter. Sautez dans un taxi pour le **Neue Galerie** (abrité dans une maison ancienne) et prenez place au **Café Sabarsky** (9) pour vous retrouver immédiatement à Vienne. Vous pouvez commander du vin avec votre déjeuner. Pensez juste à garder un peu de place pour les fabuleux desserts !

Retour à *midtown* en taxi.

233

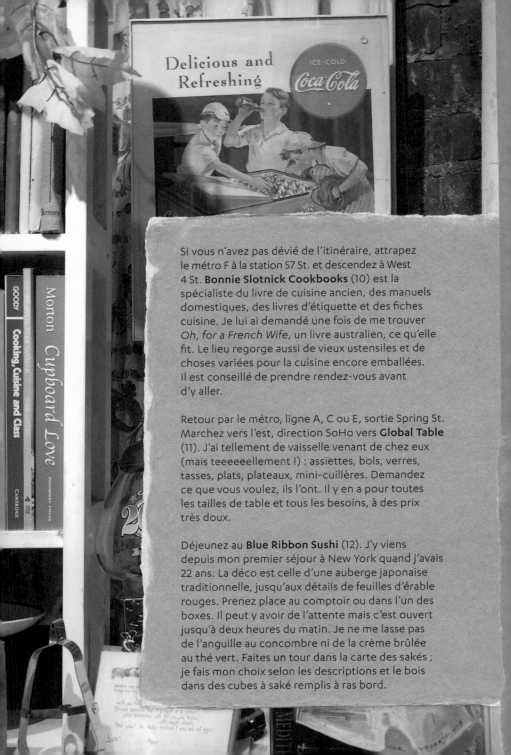

Si vous n'avez pas dévié de l'itinéraire, attrapez le métro F à la station 57 St. et descendez à West 4 St. **Bonnie Slotnick Cookbooks** (10) est la spécialiste du livre de cuisine ancien, des manuels domestiques, des livres d'étiquette et des fiches cuisine. Je lui ai demandé une fois de me trouver *Oh, for a French Wife*, un livre australien, ce qu'elle fit. Le lieu regorge aussi de vieux ustensiles et de choses variées pour la cuisine encore emballées. Il est conseillé de prendre rendez-vous avant d'y aller.

Retour par le métro, ligne A, C ou E, sortie Spring St. Marchez vers l'est, direction SoHo vers **Global Table** (11). J'ai tellement de vaisselle venant de chez eux (mais teeeeeellement !) : assiettes, bols, verres, tasses, plats, plateaux, mini-cuillères. Demandez ce que vous voulez, ils l'ont. Il y en a pour toutes les tailles de table et tous les besoins, à des prix très doux.

Déjeunez au **Blue Ribbon Sushi** (12). J'y viens depuis mon premier séjour à New York quand j'avais 22 ans. La déco est celle d'une auberge japonaise traditionnelle, jusqu'aux détails de feuilles d'érable rouges. Prenez place au comptoir ou dans l'un des boxes. Il peut y avoir de l'attente mais c'est ouvert jusqu'à deux heures du matin. Je ne me lasse pas de l'anguille au concombre ni de la crème brûlée au thé vert. Faites un tour dans la carte des sakés ; je fais mon choix selon les descriptions et le bois dans des cubes à saké remplis à ras bord.

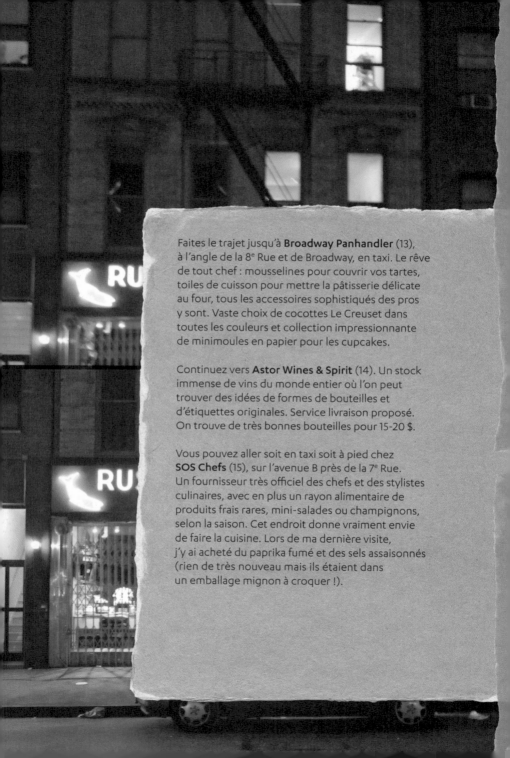

Faites le trajet jusqu'à **Broadway Panhandler** (13), à l'angle de la 8e Rue et de Broadway, en taxi. Le rêve de tout chef : mousselines pour couvrir vos tartes, toiles de cuisson pour mettre la pâtisserie délicate au four, tous les accessoires sophistiqués des pros y sont. Vaste choix de cocottes Le Creuset dans toutes les couleurs et collection impressionnante de minimoules en papier pour les cupcakes.

Continuez vers **Astor Wines & Spirit** (14). Un stock immense de vins du monde entier où l'on peut trouver des idées de formes de bouteilles et d'étiquettes originales. Service livraison proposé. On trouve de très bonnes bouteilles pour 15-20 $.

Vous pouvez aller soit en taxi soit à pied chez **SOS Chefs** (15), sur l'avenue B près de la 7e Rue. Un fournisseur très officiel des chefs et des stylistes culinaires, avec en plus un rayon alimentaire de produits frais rares, mini-salades ou champignons, selon la saison. Cet endroit donne vraiment envie de faire la cuisine. Lors de ma dernière visite, j'y ai acheté du paprika fumé et des sels assaisonnés (rien de très nouveau mais ils étaient dans un emballage mignon à croquer !).

Descendez jusqu'à Houston St. pour aller chez **Russ & Daughters** (16), un magasin de spécialités juives que j'adore. Sublimes odeurs à l'intérieur. J'achète des tablettes de chocolat aux abricots et aux cacahuètes, mais on y trouve aussi du poisson fumé et plein d'aliments autrement plus sérieux que ces petites douceurs-là.

Il est enfin temps de se poser pour un bon repas avec un peu de vin. J'aime m'asseoir à la table commune de **Supper** (17), dans la première salle ou à l'extérieur selon la météo. Leur menu est délicieux du début jusqu'à la fin. Attention, les portions sont très généreuses, partagez si vous le pouvez. Dans mon top dix se trouvent les spaghettis au citron. S'il n'y a pas de place libre, patientez tranquillement en prenant un verre dans leur bar à vin qui se trouve juste à côté.

m &
d'in

mobilier design intérieur

241

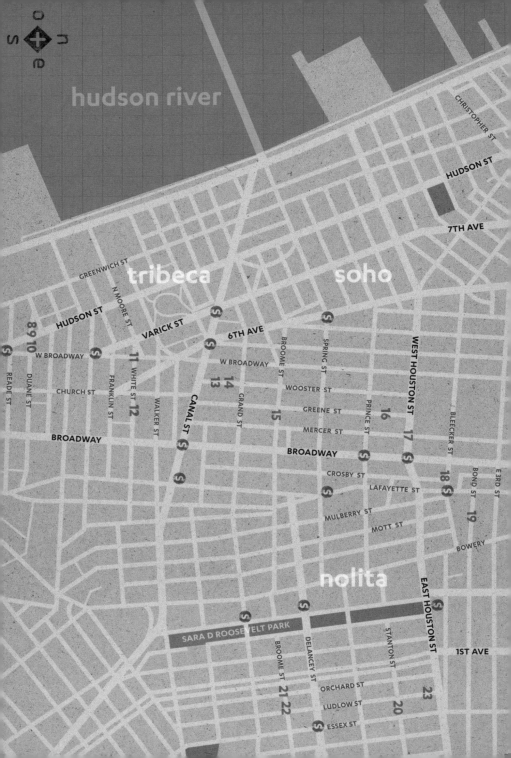

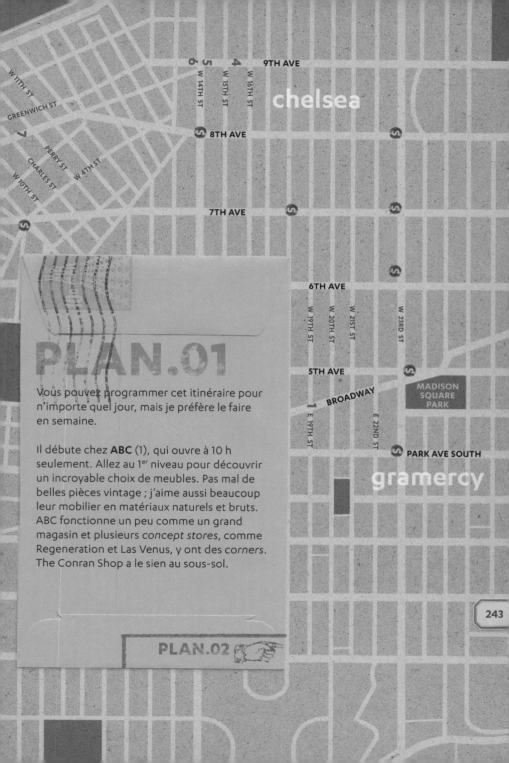

W 11TH ST

GREENWICH ST

7

PERRY ST

CHARLES ST

W 4TH ST

W 10TH ST

W 14TH ST

W 15TH ST

W 16TH ST

6 5 4

9TH AVE

chelsea

8TH AVE

7TH AVE

6TH AVE

W 19TH ST

W 20TH ST

W 21ST ST

W 23RD ST

5TH AVE

BROADWAY

1

E 19TH ST

E 22ND ST

MADISON
SQUARE
PARK

PARK AVE SOUTH

gramercy

PLAN.01

Vous pouvez programmer cet itinéraire pour n'importe quel jour, mais je préfère le faire en semaine.

Il débute chez **ABC** (1), qui ouvre à 10 h seulement. Allez au 1er niveau pour découvrir un incroyable choix de meubles. Pas mal de belles pièces vintage ; j'aime aussi beaucoup leur mobilier en matériaux naturels et bruts. ABC fonctionne un peu comme un grand magasin et plusieurs *concept stores*, comme Regeneration et Las Venus, y ont des *corners*. The Conran Shop a le sien au sous-sol.

243

PLAN.02

MADISON AVE

PARK AVE

LE MEILLEUR DE BROOKLYN ET DU QUEENS

À faire en voiture avec chauffeur

* Moon River Chattel
* Saved
* Darr
* City Foundry
* Layla
* Swallow
* Sri Threads
* Noguchi Museum
* Richard Wrightman
* Tucker Robbins

245

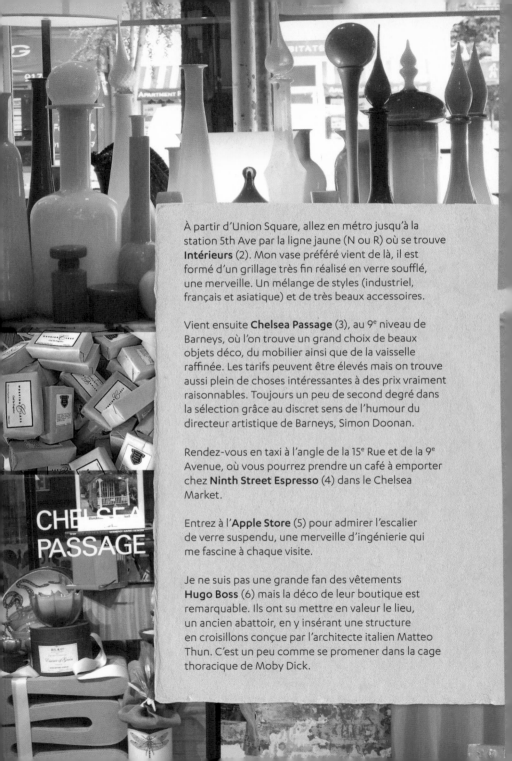

À partir d'Union Square, allez en métro jusqu'à la station 5th Ave par la ligne jaune (N ou R) où se trouve **Intérieurs** (2). Mon vase préféré vient de là, il est formé d'un grillage très fin réalisé en verre soufflé, une merveille. Un mélange de styles (industriel, français et asiatique) et de très beaux accessoires.

Vient ensuite **Chelsea Passage** (3), au 9e niveau de Barneys, où l'on trouve un grand choix de beaux objets déco, du mobilier ainsi que de la vaisselle raffinée. Les tarifs peuvent être élevés mais on trouve aussi plein de choses intéressantes à des prix vraiment raisonnables. Toujours un peu de second degré dans la sélection grâce au discret sens de l'humour du directeur artistique de Barneys, Simon Doonan.

Rendez-vous en taxi à l'angle de la 15e Rue et de la 9e Avenue, où vous pourrez prendre un café à emporter chez **Ninth Street Espresso** (4) dans le Chelsea Market.

Entrez à l'**Apple Store** (5) pour admirer l'escalier de verre suspendu, une merveille d'ingénierie qui me fascine à chaque visite.

Je ne suis pas une grande fan des vêtements **Hugo Boss** (6) mais la déco de leur boutique est remarquable. Ils ont su mettre en valeur le lieu, un ancien abattoir, en y insérant une structure en croisillons conçue par l'architecte italien Matteo Thun. C'est un peu comme se promener dans la cage thoracique de Moby Dick.

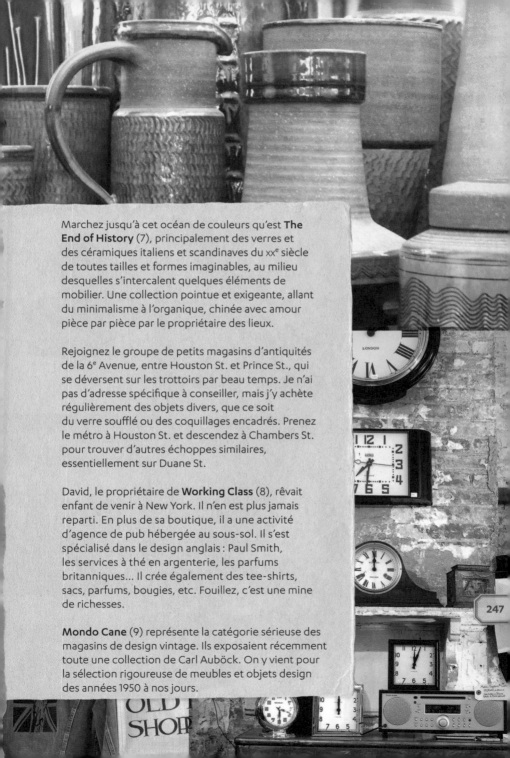

Marchez jusqu'à cet océan de couleurs qu'est **The End of History** (7), principalement des verres et des céramiques italiens et scandinaves du XXᵉ siècle de toutes tailles et formes imaginables, au milieu desquelles s'intercalent quelques éléments de mobilier. Une collection pointue et exigeante, allant du minimalisme à l'organique, chinée avec amour pièce par pièce par le propriétaire des lieux.

Rejoignez le groupe de petits magasins d'antiquités de la 6ᵉ Avenue, entre Houston St. et Prince St., qui se déversent sur les trottoirs par beau temps. Je n'ai pas d'adresse spécifique à conseiller, mais j'y achète régulièrement des objets divers, que ce soit du verre soufflé ou des coquillages encadrés. Prenez le métro à Houston St. et descendez à Chambers St. pour trouver d'autres échoppes similaires, essentiellement sur Duane St.

David, le propriétaire de **Working Class** (8), rêvait enfant de venir à New York. Il n'en est plus jamais reparti. En plus de sa boutique, il a une activité d'agence de pub hébergée au sous-sol. Il s'est spécialisé dans le design anglais : Paul Smith, les services à thé en argenterie, les parfums britanniques... Il crée également des tee-shirts, sacs, parfums, bougies, etc. Fouillez, c'est une mine de richesses.

Mondo Cane (9) représente la catégorie sérieuse des magasins de design vintage. Ils exposaient récemment toute une collection de Carl Auböck. On y vient pour la sélection rigoureuse de meubles et objets design des années 1950 à nos jours.

247

Je n'ai jamais pu m'offrir les cautions demandées
par **Lucca Antiques** (10) pour emprunter leurs
objets pour mes shootings photo. Leurs objets
et accessoires, textiles en lin, bois peints sont
tout simplement magnifiques.

Remontez West Broadway pour vous mettre dans
la queue du **Cafe Clementine** (11). Commandez
leurs délicieuses soupes en hiver et leurs fameux
sandwichs le reste du temps.

Continuez vers la boutique de **Steven Sclaroff** (12).
Steven est très cool, vous pourriez même passer
la porte avec votre sandwich. Nous nous sommes
rencontrés sur un shooting pour Kate Spade dont
j'étais la styliste déco. Il a d'abord ouvert une
boutique dans le West Village, puis s'est installé à
Tribeca, toujours avec les mêmes objets, meubles,
tapis, luminaires et œuvres d'art qui reflètent son
sens de l'humour et son œil affûté pour le design.
Cherchez le petit écureuil...

Poursuivez vers le nord, vers Canal St. et Wooster St.,
pour tomber sur **Property** (13). Monté par l'*über*-
décorateur Stefan Beckman et son associée
Sabrina Schilcher, voici un lieu très pointu destiné
aux acheteurs les plus exigeants de design
contemporain.

20

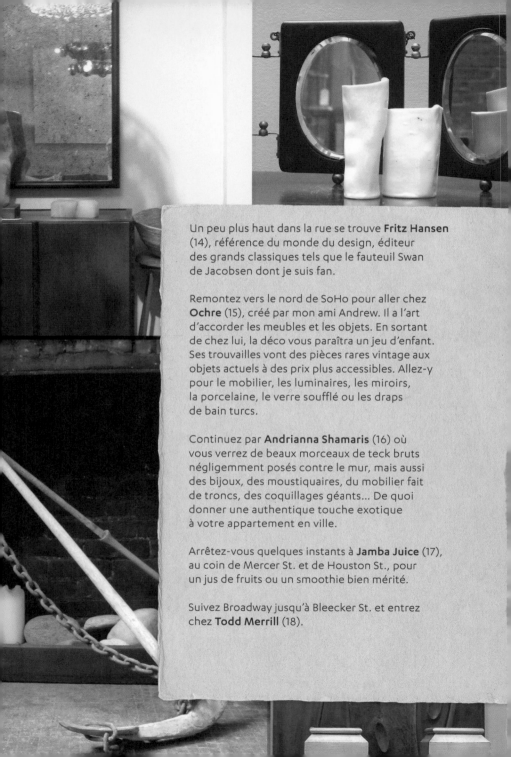

Un peu plus haut dans la rue se trouve **Fritz Hansen** (14), référence du monde du design, éditeur des grands classiques tels que le fauteuil Swan de Jacobsen dont je suis fan.

Remontez vers le nord de SoHo pour aller chez **Ochre** (15), créé par mon ami Andrew. Il a l'art d'accorder les meubles et les objets. En sortant de chez lui, la déco vous paraîtra un jeu d'enfant. Ses trouvailles vont des pièces rares vintage aux objets actuels à des prix plus accessibles. Allez-y pour le mobilier, les luminaires, les miroirs, la porcelaine, le verre soufflé ou les draps de bain turcs.

Continuez par **Andrianna Shamaris** (16) où vous verrez de beaux morceaux de teck bruts négligemment posés contre le mur, mais aussi des bijoux, des moustiquaires, du mobilier fait de troncs, des coquillages géants... De quoi donner une authentique touche exotique à votre appartement en ville.

Arrêtez-vous quelques instants à **Jamba Juice** (17), au coin de Mercer St. et de Houston St., pour un jus de fruits ou un smoothie bien mérité.

Suivez Broadway jusqu'à Bleecker St. et entrez chez **Todd Merrill** (18).

253

Todd Merrill

Ce magasin de meubles anciens est une véritable enclave hollywoodienne au cœur de Manhattan. Ici, le glamour, c'est du sérieux : commodes en miroirs, lustres en verre de Murano, objets décorés à la feuille d'or... et foule d'autres articles pour apporter classe et sophistication de haut vol à votre sublime et spacieux loft.

65 Bleecker St.
NYC 10012
212.673.0531
www.merrillantiques.com

255

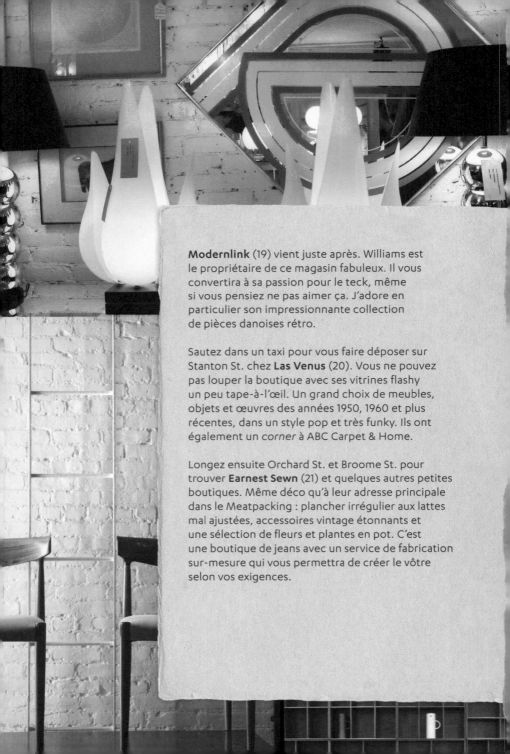

Modernlink (19) vient juste après. Williams est le propriétaire de ce magasin fabuleux. Il vous convertira à sa passion pour le teck, même si vous pensiez ne pas aimer ça. J'adore en particulier son impressionnante collection de pièces danoises rétro.

Sautez dans un taxi pour vous faire déposer sur Stanton St. chez **Las Venus** (20). Vous ne pouvez pas louper la boutique avec ses vitrines flashy un peu tape-à-l'œil. Un grand choix de meubles, objets et œuvres des années 1950, 1960 et plus récentes, dans un style pop et très funky. Ils ont également un *corner* à ABC Carpet & Home.

Longez ensuite Orchard St. et Broome St. pour trouver **Earnest Sewn** (21) et quelques autres petites boutiques. Même déco qu'à leur adresse principale dans le Meatpacking : plancher irrégulier aux lattes mal ajustées, accessoires vintage étonnants et une sélection de fleurs et plantes en pot. C'est une boutique de jeans avec un service de fabrication sur-mesure qui vous permettra de créer le vôtre selon vos exigences.

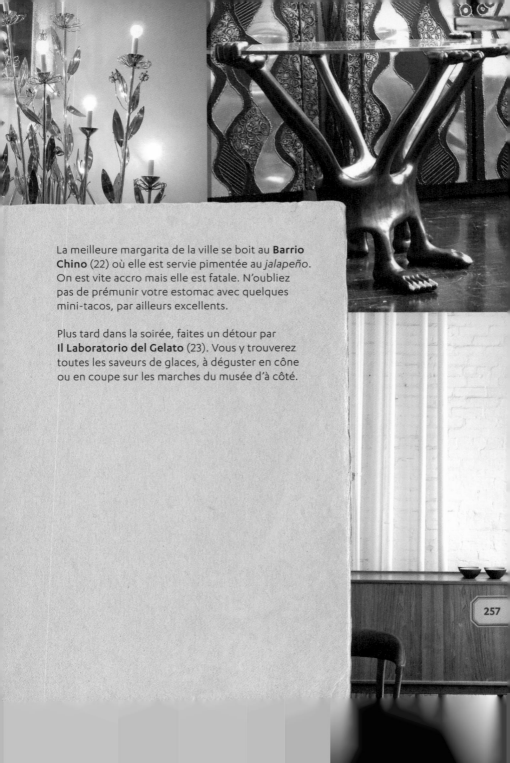

La meilleure margarita de la ville se boit au **Barrio Chino** (22) où elle est servie pimentée au *jalapeño*. On est vite accro mais elle est fatale. N'oubliez pas de prémunir votre estomac avec quelques mini-tacos, par ailleurs excellents.

Plus tard dans la soirée, faites un détour par **Il Laboratorio del Gelato** (23). Vous y trouverez toutes les saveurs de glaces, à déguster en cône ou en coupe sur les marches du musée d'à côté.

Ces adresses ne sont pas
dans mes itinéraires mais
je les adore aussi.

♥ Ces adresses indiquent
des restaurants ou cafés.

index

259

Central Park ✳
Conservatory Garden
5th Ave et 105th St. Central Park
NYC 10029
212.360.2766 or 212.860.1382
Perdez-vous dans l'immensité du parc,
vous trouverez des pépites, telles que ce
Conservatory Garden.

Chelsea Antiques Garage 55, 225
112 W. 25th St.
NYC 10001
212.243.5343

Chelsea Passage 246
Barneys 9e niveau
660 Madison Ave
NYC 10065
212.826.8900
www.barneys.com

Chess Forum 66
219 Thompson St.
NYC 10012
212.475.2369
www.chessforum.com

Church St Surplus ✳
327 Church St.
NYC 10013
212.226.5280
Dessus-de-lit en boutis à l'ancienne,
serviettes à thé et autres coupons de
tissus.

City Bakery 228
3 W. 18th St.
NYC 10011
212.366.1414
www.thecitybakery.com

City Foundry ✳
365 Atlantic Ave Brooklyn
NYC 11217
718.923.1786
www.cityfoundry.com

Clic Bookstore & Gallery 193
255 Center St.
NYC 10013
212.966.2766
www.clicgallery.com

C.O. Bigelow 44
414 6th Ave
NYC 10011
212.533.2700
www.bigelowchemists.com

Comme des Garçons 186
520 W. 22nd St.
NYC 10011
212.604.9200

Compleat Sculptor 215
90 Vandam St.
NYC 10013
212.243.6074
www.sculpt.com

Confetti System (sur RDV) ✳
164 W. 25th St. #11F
NYC 10001
www.confettisystem.com
Créée par l'une de mes anciennes
assistantes, Julie Ho, avec son associé
Nick, cette société d'accessoires festifs
haut de gamme fournit, entre autres,
l'American Ballet Theater. Elle fabrique
des costumes, des guirlandes géantes
ou des décors, en papier ou en matériaux
souples.

The Conran Shop ✳
888 Broadway (au ABC Carpet & Home)
NYC 10003
212.755.9079
www.conran.com

The Container Store 96
629 6th Ave
NYC 10011
212.366.4200
www.containerstore.com

Cooper-Hewitt 180
2 E. 91st St. (et au coin de la 5th Ave)
NYC 10128
212.849.8400
www.cooper-hewitt.org

Crosby St Hotel 163
79 Crosby St.
NYC 10012
212.226.6400
www.firmdalehotels.com

Cupcake Café ✳
545 9th Ave
10018
212.268.9975
www.cupcakecafe-nyc.com

d

Daily 235 80
235 Elizabeth St.
NYC 10012
212.334.9728

D'Amelio Gallery 186
525 W. 22nd St.
NYC 10011
212.352.0325
www.dameliogallery.com

Darr *
369 Atlantic Ave Brooklyn
NYC 11217
718.797.9733
www.shopdarr.com

Daytona Trimming 134
251 W. 39th St.
NYC 10018
212.354.1713
www.daytonatrim.com

Dean & DeLuca 34, 94
560 Broadway
NYC 10012
212.430.8300 (n° de la restauration)
212.226.6800 (n° du magasin)
1 Rockefeller Plaza
NYC 10020
212.664.1372
www.deandeluca.com

De Vera 73
1 Crosby St.
NYC 10013
212.625.0838
www.deveraobjects.com

Dim Sum Go Go *
5 E. Broadway (sur Chatham Square)
NYC 10038
212.732.0797
J'y vais uniquement pour les raviolis à la
vapeur, à commander en remplissant une
fiche (oubliez le menu). Je commande
tous ceux aux légumes, plus ceux au porc
et ceux aux crevettes à la mangue. Essayez
les sauces, elles sont toutes délicieuses.

Diner *
85 Broadway Brooklyn
NYC 11249
718.486.3077
www.dinernyc.com

Dosa 143
107 Thompson St.
NYC 10012
212.431.1733
www.dosainc.com

The DRAMA BOOK SHOP, Inc. *
250 W. 40th St.
NYC 10018
212.944.0595
www.dramabookshop.com
Librairie spécialisée dans les scénarios
de films et les pièces de théâtre.

Dry Nature Designs 59
245 W. 29th St.
NYC 10001
212.695.8911
www.drynature.com

Dylan's Candy Bar 232
1011 3rd Ave 60th St.
NYC 10065
646.735.0078
www.dylanscandybar.com

e

Earnest Sewn 142, 256
821 Washington St.
NYC 10014
212.242.3414
90 Orchard St.
NYC 10002
212.979.5120
www.earnestsewn.com

Electric Trading Co *
313 Canal St.
NYC 10013
212.226.0575
Pour tout ce qui touche aux luminaires :
câbles recouverts de tissu, douilles et
pièces en bakélite et abat-jour
en alu.

Elizabeth Street Gallery 37
209 Elizabeth St.
NYC 10012
212.941.4800
www.elizabethstreetgallery.com

The End of History 247
548 ½ Hudson St.
NYC 10014
212.647.7598
http://theendofhistory.blogspot.fr

j

Jack Spade 70
56 Greene St.
NYC 10012
212.625.1820
400 Bleecker St.
NYC 10014
212.675.4085
www.jackspade.com

Jamali Floral & Garden Supplies 56
149 W. 28th St.
NYC 10001
212.244.4025
www.jamaligarden.com

Jamba Juice 252
25 W. Houston St.
NYC 10012
212.219.8162
www.jambajuice.com

Jamin Puech 115
14 Prince St.
NYC 10012
212.431.5200
www.jamin-puech.com

JAM Paper & Envelope 207
135 3rd Ave
NYC 10003
212.473.6666
www.jampaper.com

J. Crew Liquor Store *
235 W. Broadway
NYC 10013
212.226.5476
www.jcrew.com
Ce magasin a été créé dans un ancien bar
par Andy Spade (l'ex-mari de Kate Spade)
pour la marque de vêtements J. Crew. La
façade a été conservée telle quelle ainsi
que le comptoir qui héberge maintenant
la caisse . Super déco.

Jefferson Market Garden 44
70 A Greenwich Ave
NYC 10011
www.jeffersonmarketgarden.org

Jeffrey 142
449 W. 14th St.
NYC 10014
212.206.1272
www.jeffreynewyork.com

J.J. Hat Center 59
310 5th Ave 32nd St.
212.239.4368
NYC 10001
www.jjhatcenter.com

Joe 190
514 Columbus Ave
NYC 10024
212.875.0100
44 Grand Central Terminal
NYC 10017
212.661.8580
405 W. 23rd St.
NYC 10011
212.206.0669
9 E. 13th St.
NYC 10003
212.924.3300
141 Waverly Place
NYC 10014
212.924.6750
www.joetheartofcoffee.com

John Derian Company Inc 81
6 E. 2nd St.
NYC 10003
212.677.3917
www.johnderian.com

John Derian Dry Goods 81
10 E. 2nd St.
NYC 10003
212.677.8408
www.johnderian.com

John Robshaw Textiles 136
(sur RDV)
245 W. 29th St. #1501
NYC 10001
212.594.6006
www.johnrobshaw.com

Jonathan Adler 168
47 Greene St.
NYC 10013
212.941.8950
www.jonathanadler.com

Just Shades 166
21 Spring St.
NYC 10012
212.966.2757
www.justshadesny.com

k

Kate Spade 220
454 Broome St.
NYC 10013 SoHo
212.274.1991
135 5th Ave
NYC 10010
212.358.0420
www.katespade.com

Kate's Paperie 220
435 Broome
NYC 10013
212.941.9816
www.katespaperie.com

Kaufman's Shoe Repairs Supplies, Inc. *
346 Lafayette St.
NYC 10012
212.777.1700
www.kaufmanshoe.com
Fournit les fabricants de chaussures en
semelles et lacets. Un miracle que cette
boutique ait survécu dans ce quartier.
Ferme à 16 h.

Kelley and Ping *
127 Greene St.

NYC 10012
212.228.1212
www.kelleyandping.com
Jolie salle et carte appétissante pour
déjeuner dans SoHo. Une cuisine simple,
asiatique tendance thaïe, rare à New York.

Kiehl's *
109 3rd Ave
NYC 10003
212.677.3171
www.kiehls.com
J'adorais aller à leur adresse d'origine
avant que la marque ne se développe
à l'international. Dans la pharmacie,
maintenant agrandie, vous trouverez tout
ce qu'il vous faut en termes de produits
cosmétiques. Repartez avec autant
d'échantillons que vous le souhaitez,
quel que soit le montant de votre achat.

Kiki de Montparnasse 69
79 Greene St.
NYC 10012
212.965.8150
www.kikidm.com

KIOSK 69
95 Spring St.
NYC 10012
212.226.8601
www.kioskkiosk.com

Kremer Pigments 211
247 W. 29th St.
NYC 10001
212.219.2394
www.kremerpigments.com

l

Il Laboratorio del Gelato 257
118 Ludlow St.
NYC 10002
212.343.9922
www.laboratoriodelgelato.com

Lady M *
41 E. 78th St.
NYC 10021
212.452.2222
www.ladym .com
Le meilleur endroit du MONDE pour
faire une pause goûter. Les gâteaux ont
peut-être l'air un peu élaborés mais ils
sont délicieux. Venez accompagnés pour
pouvoir en essayer plus !

Las Venus 256
113 St.anton St.
NYC 10002
212.358.8000
163 Ludlow St.
NYC 10002
212.982.0608
www.lasvenus.com

Layla *
86 Hoyt St. Brooklyn
NYC 11201
718.222.1933
www.layla-bklyn.com

Leather Spa *
10 W. 55th St.
NYC 10019
212.262.4823
www.leatherspa.com
Courez-y si votre sac ou vos chaussures
préférés ont besoin d'un coup de neuf,
qu'ils soient en cuir, daim, tissu ou
gomme. Quelques jours d'attente à
prévoir.

La version très haut de gamme du studio photo. On le réserve pour photographier des stars, que ce soit un mannequin ou une pièce design. On croise tout le petit monde des célébrités à la réception ou au bar. Attention, très, très branché. Ils ont également une galerie d'exposition, une société de production, un penthouse et une terrasse sur le toit à louer pour des shootings ou des fêtes.

Le meilleur restau marocain de la ville (même si je n'en connais pas d'autre). Le tajine de poulet Casablanca est un régal en hiver, le petit déj est top toute l'année. Je raffole de leurs œufs à l'orientale : œufs brouillés & houmous, taboulé & harissa sur une pita.

Schoolhouse Electric 100
27 Vestry St.
NYC 10013
212.226.6113
www.schoolhouseelectric.com
....

Secondhand Rose 158
230 5th Ave #510
NYC 10001
212.393.9002
www.secondhandrose.com
....

The Set Shop 212
36 W. 20th St.
NYC 10011
212.255.3500
www.setshop.com
....

Shake Shack 158
Madison Square Park,
près de Madison Ave et de E. 23rd St.
NYC 10010
212.889.6600
www.shakeshack.com
....

Shapiro Hardware ★
63 Bleecker St.
NYC 10012
212.477.4180
Une quincaillerie-droguerie qui vend
toutes ces choses généralement
introuvables quand on les cherche.
....

Smith & Mills 99
71 N. Moore St.
NYC 10013
212.226.2515
www.smithandmills.com
....

Snack 65
105 Thompson St.
NYC 10012
212.925.1040
....

SOS Chefs 238
104 Ave B
NYC 10009
212.505.5813
www.sos-chefs.com
....

Sri Threads (sur RDV) ★
18 Eckford St. #8 Brooklyn
NYC 11222
718.599.2559
www.srithreads.com
Stephen a rassemblé une quantité
incroyable de textiles, principalement
japonais. Il a aussi beaucoup d'indigos. J'ai
longtemps hésité avant de révéler cette
adresse, mais il faut bien aider les amis !
....

Stanley Pleating & Stitching Company ★
242 W. 36th St.
NYC 10018
212.868.2920
www.stanleypleatingandstitching.com
Une société spécialisée dans le plissage qui
travaille pour le monde de la mode. Laissez
vos tissus, vous les récupérerez enveloppés
dans un papier également plissé. (J'adore !)
....

Steinlauf and Stoller 134
239 W. 39th St.
NYC 10018
212.869.0321
www.steinlaufandstoller.com
....

Steven Alan 100
103 Franklin St.
NYC 10013
212.343.0692
www.stevenalan.com
....

Steven Sclaroff 249
44 White St.
NYC 10013
212.691.7814
www.stevensclaroff.com
....

Strand Bookstore 190
828 Broadway
NYC 10003
212.473.1452
Kiosque de Central Park sur la 60th St.
et la 5th Ave
(en face du Pierre Hotel)
10019
www.strandbooks.com
....

Stumptown Coffee Roasters 56
à l'Ace Hotel
20 W. 29th St.
NYC 10001
www.stumptowncoffee.com
....

Supper 239
156 E. 2nd St.
NYC 10009
212.477.7600
www.supperrestaurant.com
....

Surface Studio ★
242 W. 30th St. #1202
NYC 10001
212.244.6107
www.surfacestudio.com
Josef propose des lieux à louer pour les
shootings photo. Grande variété d'options
sans cesse renouvelées. Il prend les briefs
pour réaliser du sur-mesure également.
....

273

W

Waterworks 96
215 E. 58th St.
NYC 10022
212.371.9266
7 E. 20th St.
NYC 10003
212.254.6025
www.waterworks.com
....

West Elm 95
112 W. 18th St.
NYC 10011
212.929.4464
www.westelm.com
....

Broadway Windows 190
Angle Broadway et 10th St.
....

Wolf Home 155
936 Broadway 22nd St.
NYC 10010
1800.220.1893
www.wolfhomeny.com
....

Wolford 146
997 Madison Ave
NYC 10075
212.327.1000
122 Greene St.
NYC 10012
212.343.0808
www.wolford.com
....

Working Class 247
168 Duane St.
NYC 10013
212.941.1199
www.workingclassemporium.com
....

Wyeth 190
315 Spring St.
NYC 10013
212.243.3661
www.wyethome.com
....

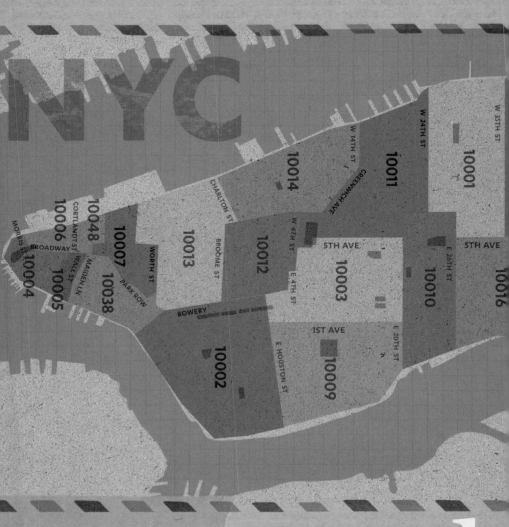

NYC

W 35TH ST

W 24TH ST

W 14TH ST

GREENWICH AVE

10014

10011

10001

5TH AVE

5TH AVE

E 26TH ST

10016

CHARLTON ST

W 4TH ST

10012

10003

10010

BROOME ST

E 4TH ST

10013

E 20TH ST

WORTH ST

10048

10007

BOWERY

1ST AVE

CORTLANDT ST

WALL ST

PARK ROW

MORRIS ST

10006

BROADWAY

10004

MAIDEN LN

10038

10005

10002

E HOUSTON ST

10009

code

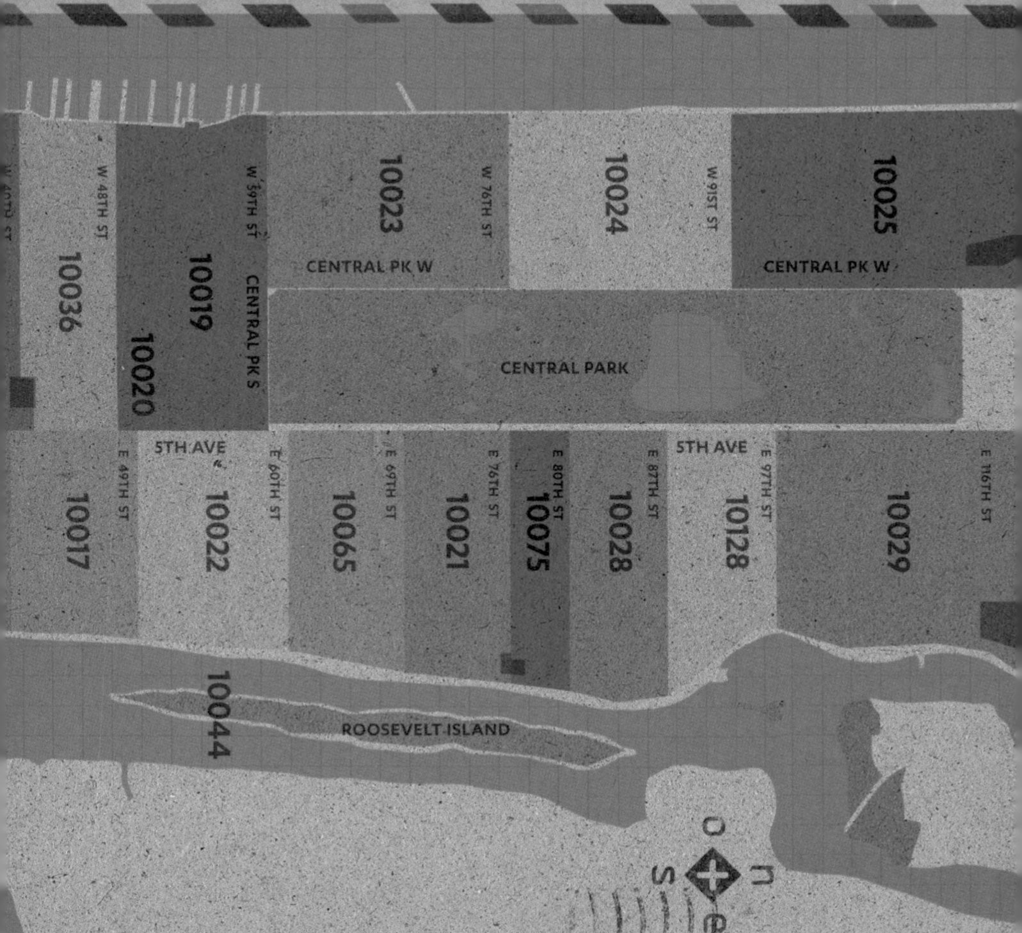

10036

10019

10023

10024

10025

W 48TH ST W 59TH ST W 76TH ST W 91ST ST

W 62ND ST

CENTRAL PK W

CENTRAL PK W

CENTRAL PK S

CENTRAL PARK

10020

5TH AVE

5TH AVE

10022

10065

10021

10075

10028

10128

10029

E 49TH ST E 60TH ST E 69TH ST E 76TH ST E 80TH ST E 87TH ST E 97TH ST E 116TH ST

10017

10044

ROOSEVELT ISLAND

N
O E
S

277

s postaux

index par codes postaux

10014

10017

10018

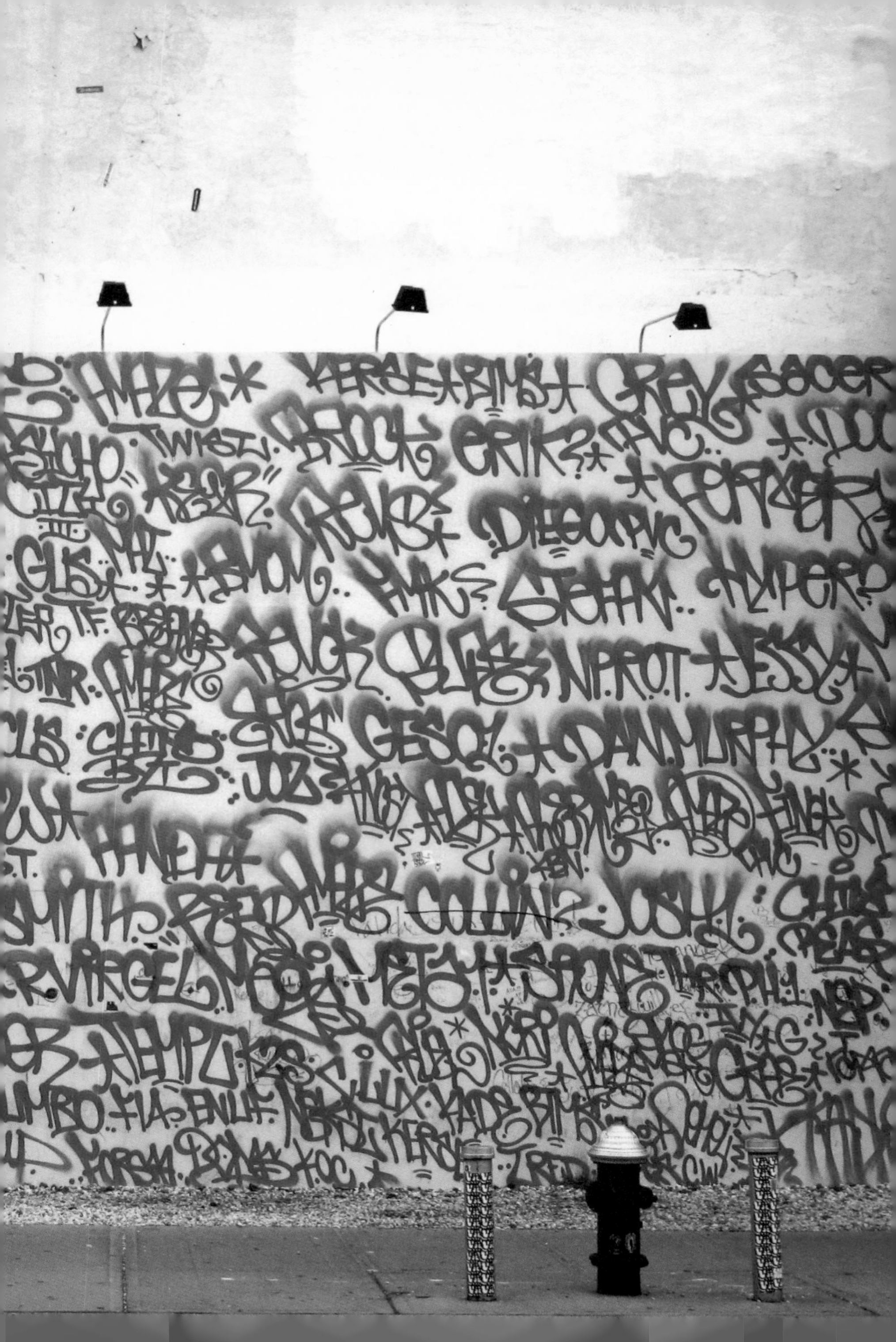

Publié pour la première fois en Australie en 2011 sous le titre
The stylist's guide to NYC, par Murdoch Books Pty Limited.
www.murdochbooks.com.au

Textes © Sibella Court, 2011
Graphisme © Reuben Crossman pour Murdoch Books Pty Ltd, 2011
Photographies © Sibella Court, 2011

© Hachette Livre, Département Marabout, 2013 pour la traduction et l'adaptation
françaises

Traduction : Raphaëlle Raymond
Mise en pages : Gérard Lamarche
Relecture : Sabrina Bendersky

Pour Marabout, le principe est d'utiliser des papiers composés de fibres
naturelles, renouvelables, recyclables et fabriquées à partir de bois issus de forêts
qui adoptent un système d'aménagement durable. En outre, Marabout attend
de ses fournisseurs de papier qu'ils s'inscrivent dans une démarche de certification
environnementale reconnue.

Édité par Hachette Livre, 43, quai de Grenelle, 75905 Paris Cedex 15
Achevé d'imprimer en Espagne par Graficas Estella, mars 2013.

ISBN : 978-2-501-08687-5
41.3111.6 / 01
Dépôt légal : avril 2013

REMERCIEMENTS

Edwina McCann, Erez Schernlicht, Katie Dineen, James Merrell, Jonny Valiant,
Amber Jacobsen, Jee, Randy & Sebastian, Leah Rauch, Chris Court, mon père,
Peter et ma famille, Donna Hay... Leta Keens, et tous les propriétaires
des boutiques de New York :
Merci de m'avoir hébergée, prêté votre vélo, éditée, aidée à m'organiser, laissée
prendre des photos, conduite à la bibliothèque, de m'avoir laissé pénétré vos
espaces, présenté de belles choses, supportée dans mon addiction au shopping
même dans ces temps difficiles, de m'avoir conduite partout, emmenée déjeuner
et boire des verres dans des endroits fabuleux, de vous être levés tôt pour vérifier
les adresses et d'avoir couru les marchés avec moi !!